文

景

Horizon

社 科 新 知　文 艺 新 潮

文景古典 · 名译插图本

索福克勒斯悲剧集

# 特剌喀斯少女

罗念生——译

赫剌克勒斯战涅索斯

阿提卡黑绘双耳细颈瓶（amphora）颈部，约公元前 620—前 610 年

出自雅典一处墓葬，现藏于雅典国家考古博物馆

赫剌克勒斯杀涅索斯

詹博洛尼亚（Giambologna）作

大理石雕像，1599 年

位于佛罗伦萨佣兵凉廊（Loggia dei Lanzi）

Frank Fleschner 摄

左图近景

Zafky 摄

涅索斯劫持得阿涅拉
洛朗·马奎斯特（Laurent Marqueste）作
大理石雕像，1892 年
位于巴黎杜伊勒里宫花园（Tuileries Gardens）

赫剌克勒斯、得阿涅拉和涅索斯

卡波迪蒙特皇家瓷器厂作

釉面陶瓷像，18 世纪

现藏于克利夫兰艺术博物馆

赫剌克勒斯和利卡斯

安东尼奥·卡诺瓦（Antonio Canova）作

大理石雕像，1795—1815 年

现藏于罗马国家现代美术馆

赫剌克勒斯自焚

老纪尧姆・库斯图（Guillaume Coustou the Elder）作

大理石雕像，1704 年

现藏于卢浮宫

Marie-Lan Nguyen 摄

赫剌克勒斯战变成公牛的河神

B. 皮卡尔（B. Picart）作

版画，1731 年

现为斯特普尔顿藏品（The Stapleton Collection）之一

涅索斯劫持得阿涅拉

佚名作

蚀刻版画，年代不明

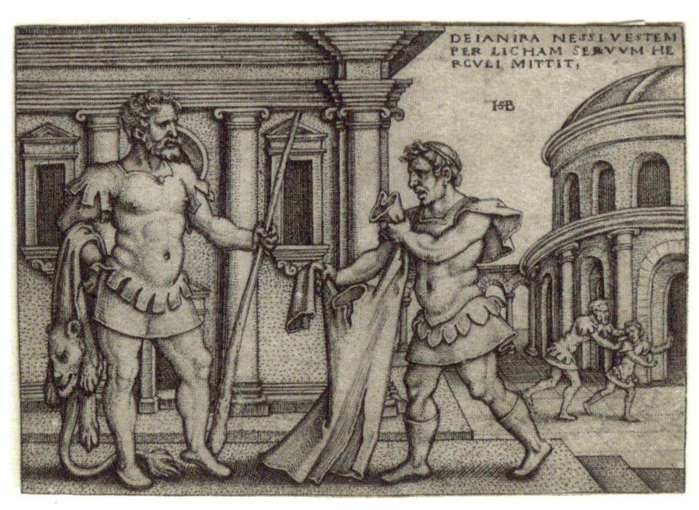


利卡斯将长袍带给赫剌克勒斯

泽巴尔德·贝哈姆（Sebald Beham）作

版画，1542 年

《赫剌克勒斯的苦差》（1542—1548 年）系列作品之一

得阿涅拉和垂死的涅索斯
霍华德·派尔（Howard Pyle）作
詹姆斯·鲍德温（James Baldwin）著《黄金时代的故事》（伦敦，1887 年）插图

赫剌克勒斯、得阿涅拉和马人涅索斯

巴托罗美奥·斯普朗格（Bartholomeus Spranger）作

布面油画，1580—1585 年

现藏于维也纳艺术史博物馆（Kunsthistorisches Museum）

得阿涅拉被劫持

圭多・雷尼（Guido Reni）作

布面油画，1617—1621 年

现藏于卢浮宫

涅索斯挟持得阿涅拉

路易 – 让 – 弗朗索斯 · 拉格勒纳（Louis-Jean-François Lagrenée）作

布面油画，1755 年

现藏于卢浮宫

赫刺克勒斯在菲罗克忒忒斯的见证下自焚

伊万·阿基莫维奇·阿基莫夫（Ivan Akimovich Akimov）作

油画，1782 年

赫剌克勒斯死后的得阿涅拉

伊芙琳·德·摩根（Evelyn de Morgan）作

油画，1878 年

私人收藏

# 目　录

## 特剌喀斯少女

# 特剌喀斯少女

根据戴维斯（Gilbert A. Davies）编订的《索福克勒斯的特剌喀斯少女》简注本（*The Trachiniae of Sophocles*, with a Commentary, Abridged from the Larger Edition of Sir Richard C. Jebb, Cambridge, 1921）希腊原文译出。

## 场　次

一　**开场**　（原诗 1—93 行）

二　**进场歌**　（原诗 94—140 行）

三　**第一场**　（原诗 141—496 行）

四　**第一合唱歌**　（原诗 497—530 行）

五　**第二场**　（原诗 531—632 行）

六　**第二合唱歌**　（原诗 633—662 行）

七　**第三场**　（原诗 663—820 行）

八　**第三合唱歌**　（原诗 821—870 行）

九　**第四场**　（原诗 871—946 行）

十　**第四合唱歌**　（原诗 947—970 行）

十一　**退场**　（原诗 971—1278 行）

## 人　物

（以上场先后为序）

**得阿涅拉（Deianeira）** 普琉戎国王俄纽斯的女儿[1]，是赫剌克勒斯（Herakles）的妻子

**女仆** 得阿涅拉的女仆，曾经做过得阿涅拉的儿女的保姆

**许罗斯（Hyllos）** 赫剌克勒斯和得阿涅拉的长子

**歌队** 由十五个特剌喀斯[2]少女组成

**报信人** 马利斯人

**利卡斯（Likhas）** 赫剌克勒斯的传令官

**伊俄勒（Iole）** 俄卡利亚[3]国王欧律托斯（Eurytos）的女儿，是赫剌克勒斯的侍妾

**一群女俘虏** 俄卡利亚妇女

**侍女** 得阿涅拉的侍女

**赫剌克勒斯** 宙斯和阿尔克墨涅的儿子[4]

**老年人** 欧玻亚人，是赫剌克勒斯的侍从

**侍从数人** 赫剌克勒斯的侍从

## 布　景

特剌喀斯城内赫剌克勒斯的住宅前院

## 时　代

英雄时代，约在公元前 13 世纪末

# 一　开场

得阿涅拉偕女仆自屋内上。

**得阿涅拉**　这人间有一句流传的古话：一个人只要活着还没死，就不能断定他的命运是好是坏。[5]但是我在去冥土之前，就知道自己的命运很不幸，很悲惨：当我还在普琉戎，在我父亲俄纽斯家里的时候，比起任何一个埃托利亚姑娘来，我对结婚就有极大的疑惧。因为我的求婚者是河神，我是说阿刻罗俄斯，他化作三种形象向我父亲求亲：有时候现出一头公牛，有时候化成一条龙，身子弯弯曲曲，鳞甲闪闪发光，有时候人身牛额，有一股股泉水从那乱蓬蓬的胡须里流出来。[6]我这不幸的人生怕嫁给这样一个求婚者，所以时常祷告：希望不等

17 接近他的床榻，早点死去。

后来，我多高兴，宙斯和阿尔克墨涅的鼎鼎大名的儿子前来，同他格斗，解救了我。至于这场战斗是怎样进行的，我说不来，因为我没有看见；如果当时有谁坐在那里望见那景象而不畏惧，他是能够讲得出来的；而我当时坐在那里，只担心我的美貌会给我带来痛苦，早就吓坏了。后来，幸亏这场格斗的裁判者宙斯评判得很好，如果说得上好的话。自从我同赫剌克勒斯结合，作了他选定的新娘以来，我总是害怕又害怕，为他担心；一夜带来了忧虑，另一夜的忧虑又把那忧虑轮番赶走。后来我们生了孩子，他有时回来看看，却无非像个有一块遥远的耕地的农夫，只在播种时节去一趟，到了收获时节再去看一回。这样一种命运总是送他回家来又送他

35 出门，去为某个人服劳役。

现在他虽然已经做完了那些苦差使[7]，我却特别感到心慌意乱。因为自从他杀死了那强有力的伊菲托斯以后，我们就被赶出来，寄居在特剌喀斯，在别人家里作客；[8]现在他到哪里去了，谁也不知道；我只知道他出门去了，给我留下的是对他的强烈的苦苦思念。我敢

肯定，他一定是遭了难，因为他出门很久了，十个月之后，又过了五个月，一直没有音信。想必是遇到了可怕的灾难；他上次出门，给我留下那样一块蜡板，那便是预兆，我时常向神祷告，该不会有灾难吧。[9] 48

**女仆** 得阿涅拉，我的主母啊，我时常看见你那样伤心，为赫剌克勒斯出门去了而痛哭流涕。如果奴隶也可以给自由人出主意，那么我也应当谈谈你的事：你既然有这么多孩子，[10]怎么不打发一个去寻找你的丈夫？许罗斯要是关心他父亲的平安，他不是特别合式吗？正好他本人来了，迈着及时的脚步回家来了，如果你认为我的话合乎时宜，你就采纳我的劝告，用上这个前来的人。 60

女仆进屋。许罗斯自观众右方上。[11]

**得阿涅拉** 孩子啊，儿啊，卑贱的人也是能说出聪明话的；这妇人虽然是奴隶，说的倒是自由人的话。

**许罗斯** 什么话？母亲啊，告诉我吧，如果可以的话。

**得阿涅拉** 她说，你父亲出门这么久，你不去打听他的下落，那可丢人呀！ 66

**许罗斯** 我知道他在哪里，如果传闻是可信的。

**得阿涅拉** 孩子啊，你听说他在什么地方？

**许罗斯**　据说过去一年里，他给一个吕狄亚妇人服役，当佣工。[12]

**得阿涅拉**　如果他连这个都受得了，任何消息都不足为奇了。

72 **许罗斯**　好在，我听说，他已经摆脱出来了。

**得阿涅拉**　那么消息说他现在在哪里，是活着，还是死了？

**许罗斯**　据说他正在攻打或者正要去攻打欧律托斯的城邦欧玻亚。

**得阿涅拉**　那么，儿啊，你知不知道他曾经给我留下一个有关那地方的可靠的神示？

78 **许罗斯**　母亲啊，什么神示？我一直不知道。

**得阿涅拉**　说是他或者会就此结束他的性命，或者完成这次
的战斗，在余生享受幸福生活。儿啊，当命运的天平这
样摆动不定的时候，[13]你还不去帮助他？因为他的性
85 命得救，我们才有救；否则一起毁灭。

**许罗斯**　母亲啊，我这就去。早知道有这个神示，我早就到
那里去了。即使是这样，我父亲一向命好，是不用我们
担忧过虑的。现在我明白了，将不顾艰险，去打听事情
91 的全部真相。

**得阿涅拉** 儿啊，去吧；虽然迟了，只要是打听成功，也是有收获的。 93

许罗斯自观众左方下。[14]

## 二　进场歌

歌队自观众右方进场。

**歌队**　（第一曲首节）赫利俄斯啊，你出生自星光灿烂之夜，在她逝去的时候；在你的霞光四射的时候，[15]她更催你入睡；赫利俄斯啊，请你告诉我，阿尔克墨涅的儿子住在哪里？住在哪里？你这位金光闪烁的神啊，他是在海峡上，还是在两大陆的什么地方？[16]明察秋毫的神啊，你说呀！

（第一曲次节）我听说那曾经被人神争娶的得阿涅拉心里想念她的丈夫，有如一只孤雁；她压不住眼中的欲望，止不住眼中的泪水；她因为丈夫远行，怀着那忘不掉的恐惧，在那愁人的空床上日益憔悴，害怕有不祥

的命运，真是可怜！ 111

（第二曲首节）有如人们看见那不倦的南风或北
风，在辽阔的海上吹过一重又一重的波浪，人生的多少
艰难困苦就是这样，像克里特海上的狂澜，时而使卡德
摩斯这个后人沉下去，时而又使他浮起来。[17]多亏有
一位神时常拯救他，使他不至于犯罪过，跌进冥府。 121

（第二曲次节）因此我责备你，我虽然尊敬你，却
要提出不同的意见。我说，你不该抛弃那美好的希望。
克洛诺斯的儿子[18]，那统治万物的王，虽不曾赐凡人
以无忧无虑的生命，但是忧愁与快乐总是轮流来到每个
人身上，有如大熊星在循环的轨道上运行一样。[19] 131

（末节）那星光灿烂之夜并不永留在人间，灾难
不，财富也不，它们一会儿就告退了。快乐也是突然而
来，又突然而去。因此，我劝你，主母啊，永远怀着这
样的希望；有谁见过宙斯不把他的儿女放在心上？ 140

# 三　第一场

**得阿涅拉**　我猜想，你是听见了我的灾难，才到这里来的，可是你现在并不体会我心里是怎样的痛苦，但愿你不会凭你的经历而得到体会啊！那嫩苗栽种在安宁的园地上，太阳神的炎势，狂风暴雨都不来侵害，它在安乐中舒适地成长，直到处女被称为妻子，在夜间接受了她的一份焦虑，为丈夫或儿女而忧愁的时候为止。只有这样的女人想到自己的处境，才能体会我被压抑在什么样的
152 痛苦之下啊！

我曾经为多少灾难而痛哭；但是从来没有像为这事这样伤心落泪过，这事我马上就告诉你。当我的丈夫赫剌克勒斯出门作最后一次旅行时，他曾经把一块古老的

写字板留在家里，上面刻着一些符号[20]。他出外冒过多少次危险，可是每次都无心向我解释，因为他每次出门，都像是去立功，不像是去死。但是他上次却像一个将死的人一样告诉我，哪一些婚姻财产归我所有[21]，哪一份祖业他指定分配给他的儿子们，并且规定了分配的日期；他说，他离家一年零三个月期满之后，若是命中注定不死，便会躲过那期限，安安乐乐活下来。 168

他说，赫剌克勒斯的苦差使，天神注定这样完成，有如多多涅地方古老的橡树先前发出的、由那两个珀勒阿得斯说出的预言。[22]那预言所指定的确切期限和现在的时日正好相合，那一定会应验的；因此，朋友们，我在酣睡的时候，为恐惧所惊扰而跳了起来，担心我会失去这人间最好的丈夫而孀居度日。 177

**歌队长** 现在别再说不吉利的话了；我看见有人前来，他戴着一顶桂冠，定是来报告好消息。 179

报信人自观众左方上。

**报信人** 得阿涅拉，我的主母啊，我是第一个报信人，即将解除你的顾虑；请你放心，阿尔克墨涅的儿子还活在世上，他打赢了，正从战地把胜利的果实带给这地方

183 的神。

**得阿涅拉** 老人家，你告诉我的是什么消息呀？

**报信人** 你的丈夫，大家羡慕的人，很快就要到了，威风凛凛，胜利归来。

**得阿涅拉** 你告诉我的消息是从这城里哪个人，还是从哪个外地客人那里打听来的？

**报信人** 传令官利卡斯正在夏季牧场[23]上向大众传达这消息；我从他那里听见了，就跑来抢先告诉你，好从你这里得到犒赏和酬谢。

192 **得阿涅拉** 如果他带回的是好消息，本人怎么不来？

**报信人** 只因为，夫人啊，他行动不方便。马利斯人全都围着他问长问短，使他无法前进。每个人都想打听他所渴望的事，不听个痛快，不放他走。尽管他不乐意，却这样被那些乐意的人围了起来。但是，一会儿你就可以看

199 见他在你面前出现。

**得阿涅拉** 宙斯啊，那不许收割的俄忒高原上的主宰[24]啊，你终于赐我们以欢乐！屋里和前院的姑娘们[25]啊，放声欢呼吧，因为我们在绝望中欣赏到这好消息带

204 来的曙光。

**甲半队队长** （舞歌）让快出阁的姑娘为这个家在灶火边[26]唱一支快乐的歌，让青年男子在歌声中一同向我们的保护神，那背着漂亮的箭筒的阿波罗[27]欢呼；还有，你们这些女郎啊，你们也同时唱一支赞美歌，赞美歌，向他的姐姐，那出生自鹣岛的阿耳忒弥斯，那射鹿的神，那左右手都擎着火炬的女神欢乐地歌唱吧，还向那些和她做伴的仙女欢乐地歌唱吧！[28] 215

**乙半队队长** 我多么兴奋啊，我欢迎那双管——我心灵的主宰！看呀，这常春藤使我发狂，欧嗬！[29]它叫我跳酒神的旋舞。 220

**歌队** 咿哦，咿哦，派安啊！[30]

**歌队长** 看呀，亲爱的夫人，你现在可以看见这消息里报道的事情在你眼前出现。（舞歌完） 224

**得阿涅拉** 我看见了，亲爱的姑娘们啊；我的眼睛正在眺望，不至于看不见那一队人。

*利卡斯带着一群女俘虏自观众左方上，其中一个是伊俄勒。*

我当着大众欢迎你这位迟迟而来的传令官，只要你带来的是欢乐的消息。 228

**利卡斯**　夫人啊，我兴高采烈地回来，受到兴高采烈的欢迎，这是合乎我们的事业的成就的，因为一个人立了大功，理应受到欢迎。

**得阿涅拉**　最好的人啊，先把我最渴望的消息告诉我：我将迎接活着回来的赫刺克勒斯吗？

**利卡斯**　我离开他的时候，他活着，精力充沛，生气勃勃，没有病痛。

**得阿涅拉**　他在哪里，在国内，还是国外？快说呀！

**利卡斯**　欧玻亚有一个海角，他正在那里为刻奈翁的宙斯划出一块祭坛，规定果实的贡税。[31]

**得阿涅拉**　为了还愿，还是奉了神示？[32]

**利卡斯**　为了还愿，那是他用戈矛把你亲眼看见的这些妇女的城邦毁灭时许下的愿。

**得阿涅拉**　但是，看在天神分上，告诉我，她们是什么人？是谁的女儿？她们很可怜，如果她们的境况没有欺骗我的话。

**利卡斯**　这些是他劫掠欧律托斯的都城时，为他自己和众神挑出来的掠获物。[33]

**得阿涅拉**　是为了攻打那都城，他去了不知多少天，数不清

的日子？ 247

**利卡斯** 不是，绝大部分时间[34]他在吕狄亚稽留，据他说，他是被卖为奴，并不自由。夫人啊，这句话不应该使人听了不高兴，事情原是宙斯促成的啊。因为，据他说，他被卖给翁法勒那外夷女人，佣工满了一年。[35]他受了这耻辱，感到痛心，发誓要使那害了他的人[36]连同那人的妻子儿女沦为奴隶。这句话不是白说的；他在净罪之后，[37]招集了一支外国军队，前去攻打欧律托斯的都城；他认为这人间只有他才是这祸害的肇事者。有一次，赫剌克勒斯去到他家灶火旁边，尽管欧律托斯和赫剌克勒斯是老交情，他竟用许多话痛骂他，拿许多恶意的举动对待他，甚至说："尽管你有从不虚发的箭[38]在手，可是论箭术，你却不如我的儿子们！"[39]他并且嚷道："你是自由人的奴隶，应该挨揍。"在宴客的时候，他趁赫剌克勒斯喝醉了，把他轰出了大门。[40]

赫剌克勒斯为这事很生气，后来伊菲托斯为了寻找走失的马，来到提任斯[41]山坡，眼睛望着这方，心转向那方时[42]，赫剌克勒斯就把他从那望楼般的山顶上推将下去。我们的主宰，奥林匹斯山[43]上的宙斯，人和神的父亲，为了他这行为勃然大怒，把他出卖为奴；宙斯不肯宽容他，因为他是用诡计杀死了伊菲托斯，虽然他只是这样杀死一个人；如果他是公开报复，宙斯倒会原谅他正当地打败了他的仇人；天神是不喜欢狂妄的行为[44]的。

所以那些口出恶言、妄自尊大的人，统统成了冥间的居住者，他们的城邦也遭受奴役；这些女子，你亲眼看见的，从幸福的巅顶跌了下来，来到你这里过苦难的生活；这差使是你丈夫派定的，我是忠心于他，执行这任务。至于他本人，等他为攻下那都城而向他父亲宙斯献上神圣的牺牲之后，你就可以盼望他回来：在我报告的这一段好消息里，这句话听起来最甜蜜不过！

**歌队长** 主母啊，你现在看见了这眼前的景象，知道了这报告里其余的消息，你的快乐是确实可靠的。

**得阿涅拉** 我听到我丈夫的幸运的消息，心里怎能不快乐呢？我的快乐完全应该和他的幸运相对应。可是善于观察事物的人却有所畏惧，生怕在走运的时候跌跤。朋友们，当我看见这些不幸的女子的时候，我心里发生了强烈的同情，她们没有家，没有父亲[45]，在外漂流，她们从前也许是自由人的女儿，如今却过着奴隶生活。宙斯啊，胜利的赏赐者啊，别让我看见你这样袭击我的儿女；万一你要做什么，也不要趁我在世的时候。[46]我一见这些女子，就这样害怕起来。 306

（向伊俄勒）不幸的女子啊，你是谁？是闺女，还是母亲？照你的外表看来，生儿育女的事你都还没有经历过，你的出身又是高贵的。利卡斯，这客人是谁的女儿？谁是她的母亲，谁是她生身的父亲？说出来吧！我一见就可怜她，胜过我可怜那些别的女子，因为看来只有她显得有感触。[47] 313

**利卡斯**　我哪里知道？你为什么追问？她也许是那地方并不卑贱的人的女儿。

**得阿涅拉**　她是不是王家的后代？欧律托斯有没有女儿？

**利卡斯**　我不知道；我没有多打听。

**得阿涅拉**　你没有从她的同伴那里得知她的名字吗？ 318

**利卡斯**　没有；我只是不声不响，做自己的事。[48]

**得阿涅拉**　（向伊俄勒）不幸的女子啊，你亲自告诉我吧；真是遗憾，连你的名字我们都不知道。 321

**利卡斯**　要是她开口说话，那就和她先前的态度不一样了；

她一直没有说过话，不论长短。自从她离开了她那山高
风大的家乡以后，她总是为她的沉重的灾难而苦恼，这
可怜的女子总是哭哭啼啼。她这样子，在她是很痛苦
328 的，在我们看来也是情有可原的。

**得阿涅拉** 那就随她去吧，让她这样子进屋，她最愿意；不
必使她在目前的灾难中，更从我手里受到新的痛苦，因
为这目前的已经够她受了。现在全都进屋去，你好准备
334 赶到你要到的地方去，[49]我也好把里面的事安排安排。

利卡斯引众女俘虏进屋，得阿涅拉正要转身进去。

**报信人** （向得阿涅拉）请你留一步，好背着他们，听听你
送进去的女子都是谁，还可以详细听听那些必须知道的
338 事，你还没有听见过的；那些事我知道得很清楚。

**得阿涅拉** 你这是什么意思？为什么拦住我？

**报信人** 请停下来听一听，我先前的话[50]值得一听，我认为我现在的话也值得一听。

**得阿涅拉** 要不要把他们叫回来？你是不是只愿意当着我和这些姑娘谈谈？

**报信人** 当着你和这些姑娘倒没有什么不方便，顶好让他们
344 进去。

**得阿涅拉** 他们已经走了；你有话快说呀。 345

**报信人** 那家伙方才说的，没有一句是真话；若不是他现在撒谎，便是他先前是个不忠实的报信人。

**得阿涅拉** 你说什么？快把你的意思明白告诉我，你方才说
的我没有听懂。 350

**报信人** 我曾经听见那家伙当着许多可以作证的在场人说，
赫剌克勒斯是为了这女子的缘故，才杀死欧律托斯，攻
下那城楼高耸的俄卡利亚的；神们中唯有厄洛斯引诱他
这次动干戈——不是因为他在吕狄亚在翁法勒手下做过
苦工，也不是因为伊菲托斯坠地死亡。[51]那报信人方
才却把厄洛斯抛在一边，而提出不同的说法。 358

赫剌克勒斯未能说服那做父亲的把女儿送给他，使
他有个秘密的床榻，因此编了一个小小的怨言作为口
实，去攻打她的祖国，毁灭她的都城。[52]现在，主母
啊，他回来了，还把她先送到家里来——正如你亲眼看
见的，—他并不是漠不关心，并不是把她当作奴隶；
你可不要那样梦想，不会是那样的，既然他心里燃起了
情欲。 368

因此，主母啊，我决心把我从利卡斯那里听来的

消息全盘告诉你。许多人都和我一样，在特剌喀斯人的公共集会场中听见过这话，都能证明他有罪过。如果我的话听起来不顺耳，我很抱歉，但是我说的却是
374 真实的情形。

**得阿涅拉**　哎呀，我处在什么样的境况里呀！我接受了一个什么样的隐患到我家里！哎呀！难道她就是那个无名女
379 子，正如那押送她的人发誓说的？

**报信人**　她的名字和出身是很闻名的：论世系，她是欧律托斯的女儿，名叫伊俄勒[53]；关于她的家世，那家伙却
382 无话可说，说是“没有打听”！

**歌队长**　并不是所有的坏人都该死，只是那偷偷地干了不合身分的坏事的人才该死！

388 **得阿涅拉**　姑娘们，怎么办呢？这目前的消息把我弄糊涂了。

**歌队长**　去问问那人，也许他会说真话，只要你愿意逼迫他回答。

**得阿涅拉**　那我就去，你的话并不是没有道理。

**报信人**　我应当在这里等候，还是做点什么事？

392 **得阿涅拉**　你且留下来，既然这人不待我召唤，自己从屋里出来了。

利卡斯自屋内上。

**利卡斯**　夫人啊，我回去该对赫剌克勒斯说些什么？请你指点我，你看，我要走了。

**得阿涅拉**　你迟迟才回来，我们还没有多谈几句，你这样快就要走了。 396

**利卡斯**　但是，如果你有话要问，我就一旁侍立。

**得阿涅拉**　你跟我说老实话吗？

**利卡斯**　请伟大的宙斯作证，凡是我知道的，我都讲出来。

**得阿涅拉**　你带回来的女人到底是谁呀？

**利卡斯**　是个欧玻亚人；是谁生的，我可答不上来。

**报信人**　你这家伙，往这边看，你以为你在对谁说话？

**利卡斯**　你为什么问起这个？

**报信人**　你要是心里明白，请回答我问你的话。 404

**利卡斯**　我是在对主妇得阿涅拉，俄纽斯的女儿，赫剌克勒斯的妻子，我的主母说话，如果我的眼睛没有欺骗我的话。

**报信人**　这正是我要听你说的，你说她是你的主母吗？

**利卡斯**　是；我应当为她效劳。 409

**报信人**　要是你对她不忠实，该当何罪？

**利卡斯**　怎么会不忠实？你是故弄玄虚。

**报信人**　我没有，你说的才是故弄玄虚。

**利卡斯**　我要走了；老听你说话才傻呢。

415 **报信人**　在你回答这个简单的问话之前，你不能走。

**利卡斯**　你要问就问吧；你这张嘴就是安静不下来。

**报信人**　你带回来的那个女俘虏——你知道我指的是谁？

**利卡斯**　知道；你为什么问起这个？

**报信人**　你不是说过，你带回来的女人是欧律托斯的女儿伊俄勒？你方才却望着她，装作不认识。

422 **利卡斯**　我对谁说过？有谁给你作证，证明他从我这里听说过？

**报信人**　你对许多市民说过；一大群人在特剌喀斯人的公共集会场上听你说过。

**利卡斯**　不错；我是说过谣传如此，但是揣测之辞不是确切的证据。

**报信人**　什么揣测之辞？你不是发誓说过，你是把她当作赫
428 剌克勒斯的新娘带回来的？

**利卡斯**　我说过“新娘”二字吗？亲爱的主母，看在天神分上，告诉我，这客人是谁呀？

**报信人** 正是在那里听过你说话的人。你曾说过，那整个城邦是因为有人爱上这女子而陷落的，不是吕狄亚王后，而是这女子所引起的情欲把它毁灭的。[54]

**利卡斯** 主母啊，让这人走开吧；同疯子吵嘴，未免不聪明。 435

**得阿涅拉** （向利卡斯）我凭向俄忒高谷投射电光的宙斯求你，不要说假话。听你说话的不是个胸襟狭窄的妇人，她不是不懂得人们的性情：他们生来是喜新厌旧的。谁像拳师一样站起来，拳头对拳头和厄洛斯搏斗，谁就不聪明，因为厄洛斯随心所欲，统治着众神和我，他怎么会不统治另一个像我这样软弱的女人[55]呢？如果我责备我丈夫染上这种狂热病，或是责备这女子，我就是发疯了；这种事对他们说来没有什么可耻，对我说来也没有什么害处。我不至于如此。但是，如果是他教你说假话，你所得到的并不是个好教训；如果是你教自己说假话，当你想做个好心肠的人的时候，你却会被发现是个残忍的人。快把真情全盘吐出来。一个人被称为撒谎者，是一种沾在身上的难看的污点。你想不败露，是不
可能的；因为许多人都听你说过，他们会告诉我的。 457

如果你有所顾虑，你怕得没道理；因为不知真情固

然使我痛苦；但是知道了又有什么害处呢？赫剌克勒斯已经娶过许多别的女子——谁也没有他娶得多[56]——她们当中谁也没有从我这里受到一句恶言或辱骂；这女子也不会的，尽管她深深地沉浸在情爱中；我一见就十分可怜她；因为她的美貌毁了她一生，这不幸的女子无意之间就倾覆了她的祖国，使它遭受奴役。

这些事让它们随风顺水漂散吧！但是，我告诉你，
469 要骗就骗别人，对我永远不要说假话。

**歌队长** 听从善良的劝告吧，今后你对这位夫人是不会有怨
471 言的，而且可以得到我的感谢呢。

**利卡斯** 亲爱的主母，我既然看见你，一个凡人，很懂人情，很体谅人，我一定把真情全盘告诉你，决不隐瞒。事情正如他所说的。这女子有一次在赫剌克勒斯心里引起了一种强烈的情欲，为了她的缘故，她的祖城俄卡利亚倒在他的矛尖下，整个毁灭了。这事情——我得替他剖白——他从不否认，也不曾叫我隐瞒。主母啊，只不过怕这消息伤了你的心，我才犯了罪过，如果你认为这
482 是罪过的话。

现在，你既然知道了这整个故事，你就为他好，不

下于为你自己好，对这女子宽容宽容，并且坚决遵守你方才说的关系到她的话[57]。因为他虽然靠他的力量在一切别的场合获得了胜利，却完全屈服在她的爱情之下。

**得阿涅拉** 我愿意这样做。无论如何，我决不同天神苦斗，自取烦恼。

我们进屋吧，我要把我的口信告诉你，由你带去，我还要准备一点相当的礼物作为回敬，也由你带去；因为这是不对的，你带了这么大一队人来，却空着手回去。 496

利卡斯随得阿涅拉进屋，报信人自观众左方下。

# 四　第一合唱歌

**歌队**　（首节）爱神[58]所赢得的胜利正好证明她的力量很强大。我且不提神祇的爱恋，不说她怎样愚弄宙斯、黑暗之王哈得斯，或是大地的震撼者波塞冬。[59]只说为了争娶这新娘，哪两个劲敌进场来格斗，一场混战卷起漫天的尘土？

（次节）其中一个是强大的河神，从俄尼阿代[60]前来的阿刻罗俄斯——头长犄角的四蹄牛怪物；另一个是宙斯的儿子，背着弯弓，舞着双矛和大棒，来自酒神的忒拜城；[61]他们一碰上就打起来，想要赢得这新娘，
516 那赏赐新婚之乐的阿佛洛狄忒独自居间作评判。

（末节）有拳声，有弓弦声，有牛角撞击声；他们

扭在一起，额头上发出致命的冲击声[62]，嗓子里发出沉痛的呻吟。那美貌的女子坐在那遥遥在望的山上，等待她未来的丈夫。那场格斗多么激烈，正如我所说的；人和神争娶的美新娘是在焦愁地等待着；她很快就离开了她的母亲，像一头牛犊失去了亲娘。[63]

## 五　第二场

得阿涅拉偕一侍女自屋内上，侍女捧着一个匣子。

**得阿涅拉**　亲爱的朋友们，我趁那报信的客人在屋里同那些被俘的女子告别的时候，暗自出了大门，来到你们这里，把我亲手安排的计划告诉你们，在你们面前悲叹我内心的痛苦。

我把一个少女——我现在认为她不再是少女，而是少妇了——接到家里来，像一个船主接受一件过重的货物，这货物使我内心的安宁遭到破坏。现在我们两人要在一条被毯下等候他来拥抱。这就是赫剌克勒斯——我一向称呼他作忠实的好丈夫——为了我长久看家而给我的报答。他时常染上这种狂热病，我都无心生他的气；

但是，同她住在一起，共有一个丈夫——这种事哪一个女人忍受得了呢？我看见她的青春之花正在舒展，我的呢，却在凋谢，人的眼睛都爱看盛开的花朵，对那凋谢的却掉头不顾。因此我担心赫剌克勒斯只在名义上是我的丈夫，实际上却是那少妇的情人。

但是，正如我方才说的，一个贤淑的妇人不宜生气。朋友们，我一定告诉你们，我有了个减轻痛苦的方法。我早就保存着一件礼物，是从前的怪兽送给我的，储藏在一只铜壶里，那是我做少女时，从胸毛蓬松的涅索斯[64]那里，在它临死的时候，从它的伤口上取来的；那怪兽为了挣钱，双手运人过欧厄诺斯的激流[65]，不用渡河的桨楫，也不用风帆。

当时我父亲打发我上路，我第一次跟随着赫剌克勒斯去，算是他的新娘；涅索斯把我背起来，走到中流，用淫荡的手摸弄我。因此我大叫一声，宙斯的儿子听见了，立即转过身来，射出一支羽箭；那箭飕的一声飞进了它的胸膛，钻进了它的肺腑。那怪兽在发晕的时候，这样对我说："老俄纽斯的女儿啊，你是我送过河的最后一人，只要你听我的话，我这次送你过河，可以使你

得到这样的好处：只要你用手从我伤口上，从那九头蛇，
勒耳涅沼泽的毒虫的黑胆现颜色的地方——那支箭是在
那蛇胆里浸过的[66]——把血块取一点来，你就可以得
到一种药物来迷惑赫剌克勒斯的心，使他不至于看见任
577 何一个女人就爱她胜过爱你。”

朋友们，我方才想起了这件自从那怪兽死后我就
好好地收藏在家里的东西；我已经用它来涂抹这件衬
袍[67]，凡是那怪兽生前所叮嘱的我都照办。事情已经
办妥。但愿我从不知道，从不懂得那种狂妄的罪行，
我憎恨那些胆大妄为的女人[68]。只要我能对赫剌克勒
斯使用药物和魔法而战胜这女子，我就照计而行，除
587 非看来我是在轻率从事；如果是那样，我就打消。

**歌队长**　只要这办法有一点把握，我们认为你的计划不错。

**得阿涅拉**　有这样的把握，有信心，但是还没有试过。

**歌队长**　要知道就得去做；你以为你知道，不去试验，还是
593 没有把握。

**得阿涅拉**　等不了多久就可以知道；我看见那人已经到门外
来了，他就要走了。你们要严守秘密！羞耻的事情，要
597 偷偷地做，才不至于落到丢脸。

利卡斯自屋内上。

**利卡斯** 你有什么吩咐？俄纽斯的女儿啊，快说呀，我已经耽搁得太久了。 599

**得阿涅拉** 利卡斯，你在屋里同那些女子谈话的时候，我就在为你准备这件东西，好打发你把这件精致的长袍为我带去，这是我亲手织好赠给我丈夫的礼物。

得阿涅拉把匣子从侍女手中接过来交给利卡斯。

你交给他的时候，告诉他，别人不得抢在他前头贴身穿上，在他还没有在那杀牛献祭的日子里很出众地站在大众面前把它拿给神们看看之前，不可让它见阳光、灶火，或是神圣的祭坛。

我曾经这样立誓：只要我看见他平安地回来，或是听见他回来了，我就给他穿上这件衬袍，让他到众神面前做一个穿新衣服的新献祭人。 613

你带去这个印纹作证，他是很容易认识这圈子里的符号的。[69]

你现在去吧，首先要遵守这条规矩：你只是一个使者，别想做分外的事；[70]还有，你这样行事，可以得到他的感谢，再加上我的感谢，就成为双重的谢意。 619

**利卡斯** 只要我稳重地运用赫耳墨斯的诀窍[71]，我对你的事是不会有什么差错的；我一定把匣子带去，原封不动
623 地交给他，用你吩咐的话来证实这件礼物。

**得阿涅拉** 你现在可以走了；你已经知道了家里的情形。

**利卡斯** 我知道一切平安，我要去告诉他。

**得阿涅拉** 你看见那女子受欢迎，知道我客客气气地接待
628 了她。

**利卡斯** 因此我心里高兴。

**得阿涅拉** 还有什么别的话告诉他呢？只怕在我知道他是否
632 思念我之前，你过早地把我的思念之情泄漏给他。

利卡斯自观众左方下，得阿涅拉偕侍女进屋。

# 六　第二合唱歌

**歌队**　（第一曲首节）你们这些住在港口与岩石之间的温泉旁边或俄忒岭上的人啊，[72]你们这些住在马利斯湾中部、那携带金箭的女神的海岸上的人[73]啊，——那里的全希腊的关前会议[74]是很闻名的，—— 639

（第一曲次节）那悦耳的双管很快就要为你们吹奏起来，那不是悲音，而是像敬神的琴音，因为宙斯的儿子，阿尔克墨涅的亲生子，正带着他耀武扬威得来的战利品赶回家来。

（第二曲首节）他出门已久，一直在海上漂泊，我们等了十二个月，消息全无；他的可爱的妻子，那可怜的人，心里无限忧愁，眼泪长流，形容憔悴。好在如今阿瑞斯一怒，便结束了她的苦难日子。[75]

（第二曲次节）愿他归来，愿他归来！在他离开那
岛上的祭坛，回到都城之前，别让那载送他的多桨的船
停留下来；据说他正在那里献祭。愿他裹在那富于引诱
力的长袍里，裹在那依照那怪兽的指点而涂上药膏的长
662 袍里，满怀热情从那里归来！

# 七　第三场

得阿涅拉自屋内上。

**得阿涅拉**　姑娘们啊，我很担心我方才做的事太不慎重了！

**歌队长**　得阿涅拉，俄纽斯的女儿啊，这是怎么回事？

**得阿涅拉**　我也不知道，可是我害怕人们很快就发现我做了一件很大的坏事，是那美好的希望引诱我做的。 667

**歌队长**　不会是关于你送给赫剌克勒斯的礼物的事吧？

**得阿涅拉**　正是这事呀；因此我劝人对一件没把握的事不可过于热心。

**歌队长**　告诉我，如果可以的话，你为什么害怕？ 671

**得阿涅拉**　发生了这样一件事，姑娘们啊，要是我讲出来，你们就会听见一件意想不到的怪事。

我方才用来在祭服上涂抹药膏的用具，从毛色很美
的羊身上扯下来的一团白毛，已经不见了，不是被屋里
什么东西吞没了，而是它自己吃掉，自己毁灭，在石地
679 上化为乌有。我要详细说明，使你知道事情的全部经过。

那怪兽马人在它胁部被尖锐的倒钩刺痛了时叮嘱我
的话，我一点也没有忘记，我把它记下来，像刀刻的字
句一样再也不能从铜板上洗刷掉。这就是它的叮嘱——
我已经照办了：这药物，在我用来涂抹之前，要保存在
角落里，永远不得见火，不得接近灼热的阳光。我就是
这样办的。方才，行动的时机到了，我从家里自己的羊
身上扯下了一团羊毛，用来在内室里偷偷地涂抹；然后
把那件礼物折叠起来，不让它见阳光，把它装进那中空
692 的匣子，那是你们见过的。

但是我方才进去，看见了一个无法形容的现象，不是凡人的智力所能理解的。我无意间把那团用来涂抹药物的羊毛扔在热力下，扔在太阳光里；它一变热，就熔化了，在地面上粉碎了，那样子特别像锯木时可以看见的从锯齿上落下的木屑。它就是这样落在那被扔的地方。从它躺着的地上，冒出一些凝结在一起的泡沫，就

像从酒神的藤上摘下的葡萄的紫色果汁浇在地上一样。 704

因此，哎呀，我不知想什么办法好；看来我是做了
一件可怕的事。那将死的怪兽为什么，为报答什么，会
对我——它原是为了我的缘故而死的——表示好意呢？
那是不可能的！它不过是在欺骗我，想害死那射杀它的
人。只恨我知道得太晚了，已经无法挽救。哎呀，我会
害死他，除非我的看法是错误的。我知道，那射出去的
箭，甚至对刻戎那天神也是致命的[76]；一切野兽，叫
它射中了，都会送命的。那来自涅索斯伤口的黑色血毒，
怎么不会害死我的丈夫呢？依我看，一定会害死的。 718

我已经下了决心，万一他倒下了，我也要和他同归
于尽；因为一个重视自己的善良的天性的女人，对于不
名誉的生活是难以忍受的。 722

**歌队长**　可怕的事应当畏惧，可是也不必事先绝望。

**得阿涅拉**　计划不妙，不会产生令人鼓舞的希望的。

**歌队长**　无心的过失所引起的愤怒是很温和的，你将遭遇的
也该是这样的愤怒啊！ 728

**得阿涅拉**　家里没有忧患的人可以说这样的话，但是一个人做了坏事，就不能这样说了。

**歌队长**　其余的话最好别说了，除非你有什么事情要告诉你
733 儿子，这个前去寻找父亲的人现在回来了。

许罗斯自观众左方上。

**许罗斯**　母亲，这三个愿望，由我选择：愿你不再活着，或者活着被称为别人的母亲，或者从什么地方换一颗比现
737 在这颗更善良的心。

**得阿涅拉**　儿啊，我有什么过错惹得你憎恨？

**许罗斯**　告诉你，你今天害死了你的丈夫，我是说我的父亲。

**得阿涅拉**　哎呀，儿啊，你传来的是什么消息呀？

**许罗斯**　这消息不能不是真的；事情已经发生了，谁能把它
743 抹煞掉呢？

**得阿涅拉**　儿啊，你说什么？这是你从什么人那里打听来的，说我做过这可恨的事？

**许罗斯**　我亲眼看见我父亲的沉重的灾难，不是听别人说的。

748 **得阿涅拉**　你在哪里遇见他，和他在一起？

**许罗斯**　你一定要听，我就全盘讲出来。

他毁灭了欧律托斯的著名的都城，然后带着战利品

和掠获物离开那里。欧玻亚有一个两面临海的海角，叫作刻奈翁，他在那里为他父亲宙斯划出一个祭坛，并且在圣地上划出一个果园。我首先在那里看见他，我对他的思念之情使我感到兴奋。 755

他正要举行百牲大祭，这时候他的使者利卡斯便带着你的礼物——一件致命的长袍，从家里赶到；他依照你的叮嘱把它穿在身上；然后杀了十二头纯色的公牛——他的精选的掠获物；他一共献上了一百头各种各样的牲畜。 762

起初，那不幸的人很喜欢那件漂亮的长袍，从从容容地祷告。但是，等血养成的火焰在神圣的牺牲和多树脂的松柴上燃烧起来的时候，他皮肤上便冒出了汗珠，那衬袍紧贴在他的胸旁，粘住每个关节，像一个工匠贴上去的一样；他痒痛得连骨头都抖战起来；那毒物，像那致命的恶毒的蝮蛇一样，开始咬他。 771

他于是大声呼唤那不幸的利卡斯——那人对你的罪过不能负责，——问他在要什么诡计，带来这件长袍。那可怜的人一概茫然，只说那是你一人送的礼物，原封未动。他听了这话，一种酸痛的痉挛震动了他的肺腑；

他抓住那人的脚，正是踝骨转动的地方，把他扔到四面
波涛汹涌的石头上[77]；他的脑袋从中破裂，白色的脑
782 髓便从他的头发中间溅了出来，还有血，也溅了出来。

大家看见他们一个发疯了，一个摔死了，都发出悲
哀的呼声；可没有人敢走到他面前，因为他痛得时而倒
在地下，时而跳进空中，呻吟，惊号；那周围的岩石、
788 罗克里斯[78]悬崖和欧玻亚海角都发出了回声。

这可怜的人多少次摔在地下，多少次大声号哭，咒
骂你这坏人同他错配了姻缘，咒骂俄纽斯同他联了婚
姻，害得他性命不保；等他疲倦了，他便在缭绕的香烟
中举目斜视，看见我在人丛中流泪，他就望着我呼唤：
“儿啊，上前来，不要躲避我的灾难，即使你必须和临
死的我死在一起也不要躲避；快把我弄走，最好是放在
那没人看见的地方；若是你不忍心，也得赶快把我送出
802 这地方，别让我死在这里。”

他既这样吩咐，我们就把他放在船中央，他在痉挛
中呼号，好容易才把他运到这边岸上。一会儿你就可以
806 看见他，不是还活着，就是刚刚断气。

母亲，这就是你对我父亲下的毒手，做的好事，你

已经被发觉了，但愿惩戒之神狄刻和报仇神为这事惩罚你！[79]只要合法合理，我就这样祷告；这本来是合法合理的，因为我看见你违背法律，把世间最好的人杀害了，你再也看不见另一个这样的人了。 812

得阿涅拉慢慢进屋。

**歌队长** 你为什么一句话不说就走了？难道你不知道，你这样默默无言，反而支持了你的控诉人？ 814

**许罗斯** 让她去吧。但愿一阵顺风送她远去，使她离开我的眼界！她做事全不像个母亲，又何必白白享受母亲这尊称呢？不，让她去吧，同她告别了；但愿她赐给我父亲的快乐也归她自己享受。 820

许罗斯进屋。[80]

## 八　第三合唱歌

**歌队**　（第一曲首节）姑娘们啊，请看那旧日的预言突然间在我们面前应验了，那神示曾经说，等第十二年凑足了月数，宙斯的合法的儿子的一连串苦差使就会结束；[81]这话到时候准会应验。因为死后看不见阳光的人怎能再做那些劳役呢？

（第一曲次节）如果死亡的阴云笼罩着他，如果那马人的诡计刺伤了他的双胁——死神所生的、鳞光闪闪的蛇生长的毒物紧粘在那里——那最可怕的九头蛇紧紧地缠住他，那么他怎能观望来朝的太阳呢？那黑毛蓬松的涅索斯的花言巧语所引起的致命的痛苦正在加剧，乱纷纷地困扰他。

（第二曲首节）这不幸的妇人一点也没有料到这后果，她只看见那新的姻缘招来的大祸闯进了她的家门，这挽救之计是她自己采用的；她一定会为了那客人在那不幸的相逢里给她的劝告所引起的后果而绝望悲伤，流出多少露水似的眼泪。这逼近的命运正在预示那诡计已经酿成巨大的灾难。[82] 851

（第二曲次节）我们的眼泪在流淌；病痛蔓延到他的全身，多么可怜！这样的灾难，哎呀，从没有从敌方落到这鼎鼎大名的赫剌克勒斯身上。那上阵刺杀的戈矛的黑色的锋芒[83]啊，你曾经凭你的威力从俄卡利亚岭上把这新娘很快就带了回来！那司爱的女神默默无声地忙碌着，她终于被发现，分明是这事的执行者。 862

**甲半队** （末节）到底是我糊涂了，还是我真听见有哭声从屋里传出来？这是怎么回事？

**乙半队** 有人从屋里发出悲惨的哭声，分明是哭声；这个家有了新的灾难了！

**歌队** 请看那老妇人多么悲伤，她皱着眉头前来向我们报告消息。 870

# 九　第四场

女仆自屋内上。

**女仆**　孩子们啊，那送给赫剌克勒斯的礼物使我们闯了大祸！

**歌队长**　老人家，你要诉说什么新的灾难？

875 **女仆**　得阿涅拉寸步不移，就走完了她的旅行的最后一程。

**歌队长**　该不是说她已经死了？

**女仆**　整个事情你都听见了。

**歌队长**　那不幸的女人已经死了吗？

877 **女仆**　你已经听见两遍了。

**歌队**　（哀歌）哎呀，她完了！告诉我们，她是怎样死的？

**女仆**　她的死法残忍极了！

**歌队**　老人家！告诉我们，她碰上了什么命运？

**女仆**　自杀而死的。

**歌队**　什么情感的冲动，什么疯狂的心理借那致命的刀锋结果了她的性命？她是怎样计划随别人的死亡而死的——这都是她一手造成的吗？[84]

**女仆**　借那使人呻吟的剑杀死的。

**歌队**　啊，你这人吓糊涂了，[85]你亲眼看见那凶杀吗？

**女仆**　我亲眼看见；我就站在她的身旁。

**歌队**　什么样的凶杀？怎样杀的？喂，快说呀！

**女仆**　那是出于她的本意，她亲手杀的。

**歌队**　你说什么？

**女仆**　我说的是真实情形。

**歌队**　这新娘为这个家生了，生了一个强大的报仇者！[86]

（哀歌完）

**女仆**　一个十分强大的报仇者！如果你在旁边看见她的举动，你一定更可怜她。

**歌队长**　一个女人的手做得出这样的事吗？

**女仆**　可怕呀！你听了可以为我作证。

她独自进屋，看见她儿子在院中铺一个中空的舁床，[87]准备折回去迎接他父亲，她就躲在那没人看见的地方，倒在祭坛前，大声悲叹那些祭坛会从此冷落；[88]当她抚摸着任何一件她从前使用过的器具时，那可怜的人就哭起来；她在家里转来转去，遇见任何一个心爱的仆人时，她这不幸的人就见景生情，又痛哭起来。她悲叹她自己的命运和她的家财的命运，那些东西日后会落
911 到别人手里。[89]

后来她停止了哭泣，我看见她突然冲进赫剌克勒斯的卧室。我躲在一旁偷看，看见我们的主母把被单铺在赫剌克勒斯的床上。她铺好了就跳上去，坐在床上，流着两行热泪说道：“我的婚床和新房啊，从此永别了，你们再也不会把我接到床上来睡眠了。”她说完这话，就用那紧张的手解了她的长袍，解了胸前别着的金针，把整个左胁和胳臂露了出来。这时我赶快跑去把她的意图告诉她的儿子。后来我们发现，在我来回的时间内，
931 她已经把那把双刃剑刺进了胁部，刺中了心脏。[90]

她儿子一看就大声痛哭；因为他明白了，哎呀，是他的愤怒把她逼死的；他更从家里的仆人嘴里得知——可惜太晚了，——这件事是她在那怪兽的怂恿之下，糊

里糊涂做出来的。这时那可怜的孩子连声号啕，为她痛
哭，不住地抱着她接吻，倒下去躺在她的身旁，很悲惨
地说，是他鲁莽从事，用那恶意的谴责刺伤了她；他悲
叹他同时丧失两个亲人——他的父亲和母亲。 942

这就是这一家的情形；如果有谁算计着两天，或算
计着更多的日子，未免太愚蠢了；因为今天还没有平安
度过，就谈不到明天。 946

## 十　第四合唱歌

**歌队** （第一曲首节）我应当先悲叹哪一件灾祸？哪一件更
949 悲惨呢？哎呀，这事情难以断定！

（第一曲次节）有一件我们可以在家里看见，还有
一件我们正在焦急地等待着：现在有灾祸和将要有灾祸
952 是同样苦啊！

（第二曲首节）但愿有快速的顺风吹到我家，把我
送出这地方，使我不至于一看见宙斯的英勇的儿子，就
吓得要命；因为有人说，他已经到了这屋前，[91]正处
961 在那难以医治的苦痛中，那怪样子无法形容。

（第二曲次节）我预先悲叹的灾祸已经近在眼前，
我曾经像夜莺那样悲鸣。外邦的护送队已经到了。他们

是怎样抬着他的呢？像是为朋友而忧愁，移动着那沉重无声的脚步吧。唉，唉，静悄悄地运回来了！应该认为他已经死去，还是睡着了？

# 十一　退场

众侍从抬着赫剌克勒斯自观众左方上，许罗斯偕一个老年人随上。

**许罗斯**　我为你悲叹，父亲啊，我为你悲叹，哎呀！怎么好
973 呢？怎么办呢？哎呀！

**老年人**　（低声）别作声，孩子，别惊动你这烦恼的父亲的剧烈的痛苦！他虽然直挺着，却还是活着的，快咬着嘴唇别作声！

977 **许罗斯**　老人家，你说什么？他还活着吗？

**老年人**　（低声）不要把熟睡的人惊醒了！孩子啊，不要把那可怕的间歇的疯病激发起来，煽动起来！

**许罗斯**　但是这严重的灾难压在我这不幸的人身上；我心乱

如麻！ 982

赫刺克勒斯醒来。

**赫刺克勒斯** 宙斯啊，我到了哪里了？我躺在什么人中间忍受这无穷尽的痛苦？哎呀呀！这可恶的病痛又在咬我！唉！ 987

**老年人** （向许罗斯）我不是早就看出，你已经把睡眠从他脑中和眼前吓走了，远不如静悄悄地不言语。

**许罗斯** 可是我看见他这样痛苦，心里忍受不了。 992

**赫刺克勒斯** 刻奈翁，我的祭坛的基石啊，我给你献上了多好的牺牲，你却这样报答我这不幸的人，请宙斯为我作证！你把我怎样，怎样毁灭了啊！但愿我这不幸的人从没有亲眼见过你！那么我不至于望见这无法用符咒来减轻的疯病的顶峰。除了宙斯之外，哪里有巫师，哪里有医疗圣手能医治这病痛呢？但愿我能望见奇迹自远方出现！ 1004

（抒情歌第一曲首节）唉，唉，让我，让我这不幸的人睡最后一觉，让我睡最后一觉！ 1006

（第二曲首节）你为什么，为什么碰我？你要把我翻到哪里去？你会害死我，害死我！你已经惊醒了那已

经入睡的痛苦！（本节完）

它缠住我，哎呀，它又来了！你们是哪里人，希腊
人中最忘恩负义的东西！我这苦命的人多少次为希腊人
在海上，在各处树林间清除妖怪，累得我要死；[92]但
如今，在我害病的时候，怎么没有人带着火或剑来使我
1014 免于痛苦？

（第一曲次节）唉，唉，怎么没有人愿意前来，从我
1017 这可怜的身体上使劲砍下这头颅？哎呀呀！（本节完）

**老年人**　赫剌克勒斯的儿子啊，这事情我力不从心，你来帮
个忙吧，你有的是力气，用不着我来救他。

**许罗斯**　我在扶着呢，但是我不能靠自己的办法或别人的帮
1022 助使他不感觉痛苦；这样的命运是宙斯注定的啊！

**赫剌克勒斯**　（第三曲首节）儿啊，你在哪里？这样，这样
1026 抱住我，扶我起来。唉，唉，我的命运呀！

（第二曲次节）这可怕的病痛又冲上来，冲上来毁
灭我，这无法医治的恶毒的病痛啊！（本节完）

帕拉斯呀帕拉斯[93]，它又来折磨我！哎呀，儿
啊，可怜可怜你父亲吧，拔出一把不受人责备的剑，从
锁骨下面刺进去医治这痛苦，是你那大不敬的母亲使我

受痛苦而发狂的！但愿我看见她这样，这样死去，就像她毁灭我一样！亲爱的冥王啊，

（第三曲次节）宙斯的弟兄啊，请你催我入睡，催我入睡，借那快速的死亡结束我这不幸的生命！（抒情歌完）

**歌队长**　朋友们，我一听见我们主上的灾难就发抖，这样好的英雄竟遭受了这样大的灾难！

**赫剌克勒斯**　啊，我这双手和这肩膀忍受过多少说不出的辛苦；甚至宙斯的妻子和那可恨的欧律斯透斯也没有把这样的罗网抛到我身上，[94]这是报仇神编织的，是俄纽斯的笑里藏刀的女儿罩在我肩上的，我就这样死在这里面啊！它紧粘在我胸旁，咬我最深处的肉；它越粘越紧，吸空了我肺上的气管；它已经喝尽了我的鲜血，我全身衰弱了，陷入了这奇怪的束缚。

战场上的长枪队、巨人们的地生军[95]、凶猛的怪兽、希腊人、外国人[96]，以及任何曾经由我去驱除过妖怪的地方的人都没有这样害过我；而一个女子，一个软弱的女流，一个没有男子气概的妇人，不用刀剑，单凭自己一人居然就杀死了我！

儿啊，快表明你真是我的儿子，不要太尊重母亲那名称。快把那生你的女人从屋里弄出来，亲自交到我手里，那样一来，我好的确知道，当你看见她活该受罪的
1069 时候，你对我的痛苦，还是对她的痛苦更表同情。

去吧，儿啊，你勇敢一点吧；可怜可怜我吧，在许多人看来，我是可怜的，像一个女孩子那样号啕大哭；可没有人会说，他曾经看见我这样哭过；没有那回事，我总是一声不哼地去追随我的厄运。但如今，哎呀，那
1075 样一个英雄成了妇人女子了。

现在上前来，站在父亲身旁，看一看，是什么厄运使我落到这个地步；我要把这块布揭开。看呀，你们看
1080 这可怜的身体，看我这不幸的人多么可怜呀！

唉，唉，哎呀！这病痛的痉挛又发作了，钻进了我
1084 的胁肋，这恶毒的咬人的疾病不让我喘一口气。

冥王啊，请你接待我！宙斯的闪电啊，请你烧毁我！主啊，扔下你的霹雳，父亲啊，扔到我头上吧！因为这毒物又在咬我，又在恶化，蔓延！我这双手啊，这双手啊，我这肩膀和胸膛啊，我这胳臂啊，你们虽然走了样，还是原来的肢体，你们从前凭你们的力气杀死了

涅墨亚的狮子，那是牧羊人的祸害，没有人敢接近的野兽；[97]你们制伏了勒耳涅的九头蛇和那些奇形怪状的、像马那样快跑的猛兽，它们强暴，放肆，力大无比；[98]你们制伏了厄律曼托斯山的野猪和地下冥王的三头犬，那是可怕的人头蛇身的妖怪所生的无敌的怪兽；[99]你们还制伏了那条在遥远地方看守着金苹果的长龙。[100] 1100

还有许多别的辛苦我都曾经历过，可没有谁把战利品挂起来灭我的威风！但如今，我的关节这样脱落了，我的肌肉这样撕碎了，我竟被，哎呀，那看不见的毒物毁灭了！我本是被称为最高贵的母亲的孩子[101]，群星中的宙斯的儿郎。 1106

有一件事你们可以的确相信：我虽然不中用，一点不能移动，但是，即使在这种情形下，依然能打败那个害了我的女人。让她出来，我可以教她向大众宣布，我活着时和死去时惩罚过坏人。 1111

**歌队长** 不幸的希腊啊，我看你一定很悲伤，如果你丧失了这个英雄！ 1113

**许罗斯** 父亲啊，你既然安静下来，容许我回答，那就听我说吧，虽然你是在病痛之中。我所要求于你的都是合情合理的。请听我说话，不要这样被情感刺激而生气；否则你就不会明白你白想报复，白生气。

**赫剌克勒斯** 你已经说出了你想说的话，就此住口吧；你方才说的谜语似的话，我在病中一点也听不懂。

**许罗斯** 我来告诉你我的母亲现在所处的情形，她是在什么样的情况下不知不觉犯罪的。

**赫剌克勒斯** 坏透了的东西，你还要提起那杀害你父亲的母亲，要我听么？

**许罗斯** 因为她的情形很严重，我不得不说出来。

**赫剌克勒斯** 不得不说出来，因为她过去犯了罪。

**许罗斯** 而且是因为她今天做了错事——这一点你也会承认的。

**赫剌克勒斯** 那你就说吧，可是你要当心，免得被发现是个不孝顺的儿子。

**许罗斯** 那我就告诉你：她已经死了，方才杀死的。

**赫剌克勒斯** 谁杀死的？你在讲怪话，宣布了一个奇怪的消息！

**许罗斯** 是她自己，不是外人杀死的。

**赫剌克勒斯** 唉，她应当死在我手里。

**许罗斯** 你的怒气是会平息的，倘若你知道了全部的真情。

**赫剌克勒斯** 你在讲怪话；快把你的意思讲出来。 1135

**许罗斯** 这就是全部的真情：她虽然犯了罪，用心却是好的。

**赫剌克勒斯** 你这坏东西，她杀了你父亲，杀得好吗？

**许罗斯** 她看见屋里的新娘，便想起了对你使用媚药，可是没有达到目的。 1139

**赫剌克勒斯** 哪一个特剌喀斯巫师有这样的本领？

**许罗斯** 那马人涅索斯曾经劝她用这样的媚药来激起你的爱情。 1142

**赫剌克勒斯** 哎呀，哎呀，我完了！毁灭了！毁灭了！再也看不见阳光了！哎呀，我现在才明白我是处在什么样的灾难中！儿啊，你再也没有父亲了，快去把弟弟们全部召来，还把那不幸的阿尔克墨涅——她白做了宙斯的妻子[102]——也召来，你们好从我这里听听这临终的遗言，听我谈论我所知道的神示。 1150

**许罗斯** 但是你的母亲不在这里，她住在靠海的提任斯；至于你的孩子们，有一些她带了去养育，还有一些，你可以知道，是住在忒拜城的。[103]好在，父亲啊，我们很多人都在这里，如果有什么应该做的事，我们听了你的

1156 叮嘱，一定尽心办理。

**赫剌克勒斯** 那你就听这件应该做的事：你被称为我的儿子，到了这时候，应当显示你的品质。

我父亲早就向我预言，说我不会死在活人的手里，而会死在一个居住在冥间的死者的手里。因此这肯陶洛斯[104]野兽这样害死我，一个死者的害死活人，正如
1163 天神所预言的。

我要指出那后来的神示怎样和那先前的一致，和那古老的相符。当我进入那些住在山上睡在地下的塞罗人[105]的圣林时，我曾经把这些神示——从我父亲的能发声的橡树上发出的神示抄了下来，那声音向我说，在现在来到的这活着的时辰[106]，这些加在我身上的苦差使就能够解脱。我原以为我可以过好日子，但是这解脱不是指别的，而是指我的死亡；因为苦差使绝不会落
1173 到死者身上。

儿啊，既然这神示分明要应验，你就得帮助我，不要等我的嘴来激励你，而是自愿地答应帮助我，自己发
1178 现这条最好的法则——孝顺父亲。

**许罗斯** 父亲啊，谈到这里，我很心忧；但是我愿意顺从，

讨你喜欢。

**赫刺克勒斯** 先握握右手!

**许罗斯** 为什么这样逼着我保证? 1182

**赫刺克勒斯** 快伸出手来,不要违背!

**许罗斯** 你看,我伸出手来了,一点也没有拒绝。

**赫刺克勒斯** 现在凭我的父亲宙斯起誓!

**许罗斯** 到底要我做什么?这个可不可以先讲明白?

**赫刺克勒斯** 为我做一件我叮嘱你的事。

**许罗斯** 那我就起誓,请宙斯作证。 1188

**赫刺克勒斯** 你这样起誓:违背誓言,必有灾祸。

**许罗斯** 不会有灾祸的,因为我一定遵命而行;可是我还是这样起誓。

**赫刺克勒斯** 你知道那俄忒山上祭祀宙斯的顶峰[107]吗?

**许罗斯** 我知道,我时常在那山上献祭。 1192

**赫刺克勒斯** 你得亲手,也可以随你愿意找朋友帮忙,把我运到那里,砍许多根深柢固的橡树的枝条,齐着根砍许多坚硬的野橄榄树[108],把我放在那上面,再举起松枝火炬把它点燃。不许流泪哀悼!如果你真是我的儿子,就要照办,不要哀悼,不要流泪;你要是不执行,我的

诅咒就会等待你，我虽然住在下界，这诅咒却永远是严

1202 厉的。

**许罗斯**　哎呀，父亲啊，这是什么话？你是怎样逼迫我呀！

**赫刺克勒斯**　这是应尽的责任；你要是不执行，就去给别的父亲做儿子，不要再被称为我的儿子。

**许罗斯**　我再叫一声哎呀！父亲啊，你叫我做的是什么样的

1207 事呀！你要我成为杀你的凶手，杀人犯罪吗？

**赫刺克勒斯**　不是的，我要你做我的治病的医师、我的灾难的唯一的救星。

**许罗斯**　我怎能把你的身体一烧，就把你医好了呢？

1211 **赫刺克勒斯**　你有所顾虑，就做别的事吧。

**许罗斯**　搬运的事，我不拒绝。

**赫刺克勒斯**　至于我吩咐的架火葬堆的事呢？

**许罗斯**　不过我不亲手去架；[109]其余的事我都做，你对我

1215 是不会有怨言的。

**赫刺克勒斯**　这就行了；但是在你给我的这些很大的恩惠之外，再添上一件小的吧。

**许罗斯**　即使是一件很大的恩惠，我也给你。

**赫刺克勒斯**　你认识欧律托斯的女儿吗？

**许罗斯** 你是说伊俄勒，我猜对了吧。 1220

**赫剌克勒斯** 猜对了；儿啊，这就是我的吩咐：我死后，如果你记住你对父亲发出的誓言，孝顺我，你就娶她为妻，不要违背父亲的意思。[110]不要让别人娶这个在我身旁躺过的女人。儿啊，你自己缔结这姻缘吧。你顺从吧！大事情顺从了，小事情不顺从，就会抵消那前一种恩惠。 1229

**许罗斯** 唉，同病人生气是不对的；但是，看见他有这样的想法，怎叫人忍受得了呢？

**赫剌克勒斯** 听你的口气，你好像不肯做我叮嘱你的事。 1232

**许罗斯** 既然她对我母亲的死和你现在的情形应负相当责任，谁还愿意娶她呢？若不是被报仇神逼疯了，有谁愿意呢？

最好，父亲啊，我也死去，胜于同那最可恨的人生活在一起。 1237

**赫剌克勒斯** 这孩子不尊重我这将死的人。天神的报应会等待你，如果你不听我的话。

**许罗斯** 唉，看来你快要发疯了！

**赫剌克勒斯** 是呀，因为你把我从病势减轻后的睡眠中惊

1242 醒了。

**许罗斯** 哎呀，我好不为难啊！

**赫剌克勒斯** 是呀，你不肯顺从你的父亲。

**许罗斯** 父亲啊，你要我做这件不孝顺的事吗？

**赫剌克勒斯** 不是不孝顺，只要你讨得我喜欢。

1247 **许罗斯** 你命令我尽这件应尽的责任吗？

**赫剌克勒斯** 是的，我请天神作证。

**许罗斯** 那我就遵命，不再拒绝；可是我要向众神表明，这是你叫我做的；[111]父亲啊，我顺从你，不至于成为一
1251 个不孝顺的儿子。

**赫剌克勒斯** 谈话圆满地结束了；儿啊，在这些诺言之外，赶快再给我一件恩惠：趁痉挛或苦痛还没有发作，快把我安放在火葬堆上。

喂，你们赶快呀，把我抬起来！这就是我的苦难的尽头，最后的结局。

**许罗斯** 父亲啊，既然你命令我非做不可，就不会有什么东
1258 西阻挠我满足你的心愿。

**赫剌克勒斯** 我这颗倔强的心啊，趁病痛还没有发作，快给你的嘴戴上这嵌了石头的钢嚼子！既然要做这件痛快的

事——尽管你不愿意，——就不要哭啊！

**许罗斯**　侍从们，把他抬起来！请你们特别原谅我[112]，请
看，天神在这件正在进行的事情上多么残忍：他生了他，
被尊为父亲，对这样的灾难却坐视不救。 1269

未来的事情谁也看不清；这眼前的事对我们是可悲
的，对天神是可耻的，对受难的人是最痛苦的。 1274

姑娘们，一同去吧，不要待在家里；方才你们看见
了这可怕的死亡和这许多闻所未闻的灾难；这些事没有
一件不是在显示宙斯的威力。 1278

众侍从抬着赫剌克勒斯自观众左方下，许罗斯、老年人和歌队随下。

# 注　释

［1］ 普琉戎（Pleuron）城在埃托利亚（Aitolia）境内，埃托利亚在科林斯（Korinthos）海湾西北。俄纽斯（Oineus）又是卡吕冬（Kalydon）城的国王，卡吕冬在普琉戎西北。

［2］ 特剌喀斯（Trakhis）城在马利斯（Malis）境内，距温泉关（Thermopylai）约十三公里。马利斯在希腊北部马利阿科斯（Maliakos）海湾西北。

［3］ 俄卡利亚（Oikhalia）在欧玻亚（Euboia，旧译作优卑亚）中部，欧玻亚是希腊东海岸外一个狭长的海岛。

［4］ 宙斯（Zeus）是克洛诺斯（Kronos）和瑞亚（Rhea）的儿子，为最高的神。阿尔克墨涅（Alkmene）是迈锡尼（Mykenai）国王厄勒克特律翁（Elektryon）的女儿，嫁与安菲特律翁（Amphitryon）

为妻。宙斯趁她丈夫不在家，伪装她丈夫和她同床，安菲特律翁第二天才回家。她后来为宙斯生赫剌克勒斯，第二天又为安菲特律翁生伊菲克勒斯（Iphikles）。当赫剌克勒斯快要出生的时候，宙斯宣称当天要出生一个英雄来统治珀耳修斯（Perseus）的子孙。珀耳修斯是安菲特律翁和阿尔克墨涅的祖父。宙斯的妻子赫拉（Hera）心怀妒意，她叫宙斯发誓说，珀耳修斯的当天出生的后人将统治珀耳修斯的后代儿孙。于是司生育的女神赫拉赴阿耳戈斯（Argos，这都城靠近迈锡尼和提任斯［Tiryns］，同属于珀耳修斯的氏族），使珀耳修斯的儿子斯忒涅罗斯（Sthenelos）的妻子尼喀珀（Nikippe）提前生下欧律斯透斯（Eurystheus），使赫剌克勒斯晚生一点，因此欧律斯透斯夺去了赫剌克勒斯应得的统治权，命运又注定那晚生一点的人将为那早生一点的人服役。

［5］ 这是一句著名的谚语，当日的雅典观众听了，一定会想起梭伦（Solon）回答克洛索斯（Kroisos）的话。克洛索斯是吕狄亚（Lydia）国王，势力很强大。他有一次问梭伦，谁是他见过的最幸福的人。梭伦这样回答：当一个人还没死，别认为他是幸福的。后来克洛索斯为波斯国王居鲁士（Kyros）所败，被判死刑。临刑时他连呼三遍梭伦的名字，居鲁士问他为什么呼唤，他便把梭伦的话讲了出来。居鲁士听了，很是感动，反而饶了克洛索斯，同他结为朋友。

［6］ 阿刻罗俄斯（Akheloos）河发源于拉克蒙（Lakmon）山，南流约二百公里入伊俄尼亚（Ionia，一译爱奥尼亚）海，河的下游通过阿卡耳那尼亚（Akarnania）和埃托利亚的边界。得阿涅拉的祖城普琉戎距河约二十公里。阿刻罗俄斯是河神，是俄刻阿诺斯（Okeanos）和忒堤斯（Tethys）的儿子。由于水是流动不定的，因此希腊的河神和海神都善于变形。古希腊钱币上有牛身人头的阿刻罗俄斯像。有一只古希腊土瓶，上面绘着这河神同赫剌克勒斯格斗的形象，河神蛇身人头，还有手和犄角。还有一枚古希腊钱币上面印着这河神的像，他长着人的脸面和胡须，牛的前额、耳朵和犄角。

［7］ “苦差使”，指赫剌克勒斯奉欧律斯透斯之命而做的十二件辛苦的事情。赫拉因为恨赫剌克勒斯，曾经使他发狂，杀死了墨伽拉（Megara）给他生的孩子和他的异父弟伊菲克勒斯的两个孩子，并且几乎杀死了他的名义上的父亲安菲特律翁。本剧中没有提起他和墨伽拉结婚的事，好像并没有那回事。赫剌克勒斯后来去问阿波罗（Apollon），他应该到哪里去居住。阿波罗叫他到提任斯为欧律斯透斯服役十二年，因此他奉了欧律斯透斯之命做了这些苦差使。

［8］ “别人”指特剌喀斯国王刻宇克斯（Keux）。赫剌克勒斯生在忒拜（Thebai，一译底比斯），后来因为要为欧律斯透斯服役，才去到提任斯。据说他有一次去到俄卡利亚国王欧律托斯家里，想娶伊俄勒为

妻。欧律托斯答应把他这女儿嫁给一个比他本人和他的儿子们更长于射箭的人。赫剌克勒斯同他们比赛射箭，获得胜利，可是欧律托斯和他的儿子们（除伊菲托斯［Iphitos］而外）却不肯把伊俄勒嫁给他，因为他曾经杀死他自己的孩子。赫剌克勒斯为这事怀恨在心；后来伊菲托斯去到提任斯，赫剌克勒斯竟在疯狂中把他这位朋友杀死了。为这事他被欧律斯透斯赶了出来。

［9］ 十二年前，多多涅（Dodone）神示曾经说，十二年后，赫剌克勒斯可以得到安息。十五个月以前，赫剌克勒斯曾经把一块蜡板交给得阿涅拉，那上面刻着一个神示（见1166—1171行，自“当我”起至“能够解脱”止）。那时候那多多涅神示已经过了十年零九个月，还差十五个月才满期，他因此告诉得阿涅拉，如果十五个月期满，他还没有回来，她便可以断定他已经死了。得阿涅拉现在想起了那蜡板上的神示，更相信她丈夫已经遭了难。

［10］ 得阿涅拉生了三男二女。

［11］ 古雅典剧场人物上下场的习惯是：从市场里（亦即城里）或海上来的人物自观众右方上，从乡下来的人物自观众左方上；下场亦如此。许罗斯大概是从市场里来的，他在那里听见了一些关于他父亲的消息。

［12］ 吕狄亚在小亚细亚中部。“妇人”指翁法勒（Omphale），

她是特摩罗斯（Tmolos）的妻子，丈夫死后做了女王。赫剌克勒斯因为杀死了伊菲托斯，神示命令他去给人佣工，把卖身钱付给死者的父亲欧律托斯，作为赎罪金，那样一来，他便可以摆脱疯病。据说他在翁法勒家里穿上女人衣服，给女王搓羊毛线，女王则披上他的狮子皮。

［13］ 意即赫剌克勒斯正处在危险关头。天神手提天平衡量凡人的命运，如果一个人的命运往下坠，他的死期便到了。

［14］ 许罗斯虽然要渡过海峡去帮助他父亲作战，但是从特剌喀斯到海港还有一节路，因此他自观众左方下。

［15］ 赫利俄斯（Helios）是原始的太阳神，为许珀里翁（Hyperion）和忒亚（Thea）的儿子，和月神塞勒涅（Selene）与晨光之神厄俄斯（Eos）是兄妹。

［16］“海峡”指爱琴海，这海的形势像一个海峡。这不是指欧玻亚海峡，因为歌队还不知道赫剌克勒斯已经在欧玻亚，或正要去攻打欧玻亚。“两大陆”指欧罗巴和亚细亚，至于阿非利加在古代则包括在亚细亚内。这两大陆实指古时可以居住的整个世界。

［17］ 克里特（Krete）是希腊东南方的岛屿。卡德摩斯（Kadmos）是腓尼基（Phoinikia）国王阿革诺耳（Agenor）和忒勒法萨（Telephassa）的儿子，为忒拜城的建立者。“后人”指赫剌克勒斯，他并不是卡德摩斯的后人，只不过和他同一祖先。

[18] 指宙斯。

[19] 大熊星（即北斗星）绕北极上空旋转，从不坠到地平线以下。人间的忧乐就像这星座这样环行。传说宙斯曾经把卡利斯托（Kallisto）化成一只母熊，她正要被她儿子阿耳卡斯（Arkas）杀死时，宙斯又把她化成大熊星，并且把她儿子化成小熊星。

[20] “符号”指一种古体字母。

[21] 按照公元前5世纪的雅典习惯，寡妇的婚姻财产包括她出嫁时携往夫家的嫁奁和夫家送给她的礼物。新娘的父亲把嫁奁登记下来，作为日后女儿离婚时或女婿死后收回的根据。

[22] 多多涅在希腊西北部厄珀洛斯（Epeiros）境内。橡树是宙斯的圣树，那两个珀勒阿得斯（Peleiades）女祭司根据橡叶的声音来解释宙斯发出的神示。一般把“珀勒阿得斯”解作“鸠”，有人认为那神示是由鸠唱出的，有人认为是由两鸠之间的橡树发出的。据说那橡树的两边悬着石鸠或铅制的鸠。

[23] “牧场”指马利斯平原，位于特剌喀斯与马利斯海湾之间。

[24] 俄忒（Oite）山在特剌喀斯西边，那高原是宙斯的圣地，上面的草是不许收割的。

[25] 屋里的姑娘指奴婢，前院的姑娘们指歌队队员。

[26] 荷马时代王宫的正厅里有灶火。

[27] 阿波罗是宙斯和勒托（Leto）的儿子。

[28] “他的姐姐”指阿波罗的姐姐阿耳忒弥斯（Artemis）。“鹑岛”原文作“俄耳堤癸亚”（Ortygia），是得罗斯（Delos，一译“提洛”）岛的别名。阿耳忒弥斯是宙斯和勒托的女儿，是后起的月神。“火炬”象征月亮。“仙女”指马利斯的山林水泽的仙女。

[29] 常春藤是酒神狄俄倪索斯（Dionysos）的圣物。酒神的信徒们头戴常春藤。本剧歌队中的队员并没有戴这种藤冠，这不过是分队长在想象中把队员当作酒神的头戴常春藤的信徒。“欧嗬”是酒神的信徒的欢呼声。

[30] 派安（Paian）是阿波罗的称号，是“医神”的意思。此句是赞美歌的叠句。

[31] 欧玻亚岛西北部有一个海角，伸向马利斯湾，叫作刻奈翁（Kenaion）。赫剌克勒斯在那海角上划出一块地来建筑祭坛，并且规定把那地上生产的果实作为敬神的贡品。

[32] 也许是赫剌克勒斯在攻打俄卡利亚之前许过愿，要是攻下那都城后向神献祭谢恩；也许是宙斯在战后发出神示，要他献祭。

[33] 赫剌克勒斯曾经选出一些战俘充当天神庙上的仆役。

[34] 指十五个月中的十二个月。

[35] 神使赫耳墨斯（Hermes）曾经奉宙斯之命，把赫剌克勒斯

带到吕狄亚的奴隶市场卖给了翁法勒，把他的卖身钱付与欧律托斯（参看注［12］）。传说赫剌克勒斯为翁法勒佣工三年之久，一年之说可能是诗人改编的。因为神示所规定的时间是十五个月，赫剌克勒斯只能为翁法勒佣工一年，他还得有三个月时间去攻打俄卡利亚。

［36］ 由于欧律托斯侮辱过赫剌克勒斯，赫剌克勒斯才杀死了欧律托斯的儿子伊菲托斯，由于那杀人罪，他才被卖作佣工，因此他认为这祸事是欧律托斯给他惹出来的（参看注［8］）。

［37］ 古代的注释者说，赫剌克勒斯犯了杀人罪后，被流放一年，期满后，他的罪便算涤除了。他交出的卖身钱也可以作净罪之用。他曾经在杀死自己的孩子后，自行放逐，去到忒斯庇俄斯（Thespios）那里，由那人给他举行了净罪礼。

［38］ 赫剌克勒斯的弓箭是阿波罗送给他的。

［39］ 欧律托斯有四个儿子，即得伊翁（Deion）、克吕提俄斯（Klytios）、托克修斯（Toxeus）和伊菲托斯。

［40］ 西西里发现的一只希腊土瓶上面，绘着喝醉了的赫剌克勒斯躺在关闭着的门外，有一个老妇人正在把冷水倒在他身上。

［41］ 提任斯在伯罗奔尼撒东北部阿耳戈利斯（Argolis）海湾旁边。

［42］ 伊菲托斯自高处观望，他的眼睛没有望见马，他的心便想

到别的地方去了，以为他的马是在别处。

［43］ 奥林匹斯（Olympos）山在希腊北部，相传是众神的住处。

［44］ 指欧律托斯对待赫剌克勒斯的狂妄行为。

［45］ 城邦陷落后，所有的男子都会被杀戮，因此得阿涅拉认为这些女俘虏已经没有父亲了。

［46］ 当日的雅典观众听了这话，一定会想起得阿涅拉死后，她的儿女曾经被欧律斯透斯追赶，他们逃到雅典，受到国王得摩丰（Demophon）的保护，得摩丰还把欧律斯透斯擒来杀了。索福克勒斯惯于用这种手法引起观众的联想。

［47］ 伊俄勒当着得阿涅拉面前，感到痛苦，并且感到羞耻。得阿涅拉并不知道她是赫剌克勒斯的侍妾，因此她不了解伊俄勒的复杂心理，只以为她是想起自己的高贵出身而感到痛苦。

［48］ 指押送俘虏回家。

［49］ 指赶到刻奈翁去参加祭礼。

［50］ “先前的话”指第180行以下的一大段话。报信人所报告的好消息这时候已经完全证实了。

［51］ 报信人认为那苦差使和伊菲托斯的死亡并没有激起赫剌克勒斯去发动战争，而是因为欧律托斯不肯把伊俄勒嫁给赫剌克勒斯，这人才去攻打俄卡利亚。厄洛斯（Eros）是小爱神，是爱神阿佛洛狄忒

（Aphrodite）的儿子，他的父亲是宙斯，或战神阿瑞斯（Ares），或赫耳墨斯。

［52］“祖国”后面还有两行诗，意思是：“——在那里，据利卡斯说，欧律托斯是宝座上的王——他杀死国王，他的父亲”。这两行诗可能是当日的演员添上的。报信人用不着说明那女子的祖国归欧律托斯统治。“欧律托斯”这名字若是泄露得过早，得阿涅拉便会猜到那女子的父亲是欧律托斯，那样一来，后面第380行以下一段话便会显得软弱无力。

［53］据说她这名字是“紫色”的意思。有的神话家把伊俄勒当作“紫色的曙光”，她在赫剌克勒斯升天后，嫁给那东升的太阳，即许罗斯。

［54］意思是，赫剌克勒斯并不是由于他为吕狄亚王后翁法勒服过劳役，因而迁怒于俄卡利亚国王欧律托斯，毁灭他的都城。

［55］暗指伊俄勒。

［56］赫剌克勒斯曾经娶墨伽拉、奥革（Auge）和阿斯堤达墨亚（Astydameia）为妻。据说有一个晚上，他娶了忒斯庇俄斯的五十个女儿。

［57］指得阿涅拉在第462行说的“这女子也不会的”一语，意思是，伊俄勒也不会从她那里受到一句恶言或辱骂。

［58］“爱神”原文作“库普里斯”（Kypris），那是阿佛洛狄忒的别名，由库普洛斯（Kypros，通称塞浦路斯）岛的名称转化而来的。这女神是宙斯和狄俄涅（Dione）的女儿，但希腊晚期的诗人却说是由库普洛斯岛的海水的泡沫化成的。

［59］哈得斯（Hades）即冥王，是克洛诺斯和瑞亚的儿子。波塞冬（Poseidon）也是克洛诺斯和瑞亚的儿子，为海神，他常用三尖叉震撼大地。

［60］俄尼阿代（Oiniadai）是阿卡耳那尼亚境内的一个城市，在阿刻罗俄斯河口西岸。

［61］“酒神”原文作“巴克科斯”（Bakkhos），是酒神狄俄倪索斯的别名。酒神是宙斯和塞墨勒（Semele）的儿子，生在忒拜。

［62］据说赫剌克勒斯把牛的犄角打下了一只，河神后来用一只羊角赎了回去，那羊角象征阿刻罗俄斯河的丰产，里面应有尽有，谁得到它，想要什么都可以从角里取出来。据说赫剌克勒斯曾经把羊角作为聘礼，送给俄纽斯。

［63］据说赫剌克勒斯结婚后，在丈人家住了三年之久，后来因为无意之间杀死了宫中一个名叫欧诺摩斯（Eunomos）的孩子，夫妇两人才带着婴儿（许罗斯）离开普琉戎，去到特剌喀斯。

［64］涅索斯（Nessos）是一个肯陶洛斯（Kentauros），即马人。

伊克西翁（Ixion）上天后爱上了宙斯的妻子赫拉，宙斯因此造了一个貌似赫拉的假女神送给他，他同那假女神结合而生马人。马人腰部以上是人，以下是马；或头部与胸部是人，其他部分是马。

［65］ 欧厄诺斯（Euenos）河发源于俄忒山西麓，南流入科林斯海湾，卡吕冬和普琉戎都在河西。

［66］ 勒耳涅（Lerne）沼泽靠近阿耳戈斯。那怪蛇有九个头，当中的一个是不死的。赫剌克勒斯曾经用大棒打蛇，但每次打掉它一个头，便长出两个来。他终于用火烧死了八个头，更把那不死的头埋在一块巨石下。他还把箭头浸在毒蛇的胆汁里，这种毒箭伤人是无法医治的。

［67］ 衬袍是贴身穿的衣服，古希腊人出门时再裹上罩袍。

［68］ 得阿涅拉的意思是说，她无意害赫剌克勒斯。

［69］“圈子”指指环上嵌宝石的座盘。得阿涅拉曾经用她的指环在匣子上面的火漆上印了一个记号。

［70］ 得阿涅拉一方面责备利卡斯方才撒谎，一方面警告他重视这匣子上面的印记，不得把匣子打开来看。

［71］ 赫耳墨斯是神们的使者，并且是人间的使者的保护神。

［72］“温泉”指温泉关东边的两道硫磺泉。温泉关在特剌喀斯东边，公元前 480 年，三百个斯巴达人曾死守这关口，阻挡波斯大军南

下。温泉北边是马利斯海湾（赫剌克勒斯即将在那港口登陆），南边是俄忒山东麓。

［73］“海岸”指马利斯湾中部的海岸。“女神”指女猎神阿耳忒弥斯，这海岸一带的人特别崇拜这女神。

［74］“关前会议”指安菲堤俄尼亚（Amphiktyonia）会议，那是一个民族联盟会议，由各城邦派代表参加，在温泉关西口外安忒拉（Anthera）城举行，故称为“关前会议”。实际上参加的城邦并不包括所有的希腊城邦。

［75］阿瑞斯是宙斯和赫拉的儿子，为战神。战神一怒，一方面使赫剌克勒斯打了最后一仗，结束了他一生的辛苦，一方面使得阿涅拉庆祝她丈夫胜利归来，结束了她的忧愁。

［76］刻戎（Kheiron）是一个马人，由于他是克洛诺斯和水仙菲吕拉（Philyra）的儿子，因此是一位永生的神。刻戎是赫剌克勒斯的朋友。赫剌克勒斯有一次追赶一些马人，他们便逃到刻戎那里。赫剌克勒斯用箭射他们，误伤了刻戎，由于刻戎是一位神，因此总是死不了；他后来愿意替普罗米修斯死，这才死去。

［77］刻奈翁海角南边有一些小岛，叫作利卡得斯（Likhades），由利卡斯而得名。

［78］罗克里斯（Lokris）在刻奈翁海角对岸。

[79] 狄刻（Dike）是宙斯和忒弥斯（Themis）的女儿，掌管习惯、秩序、法律、正义等。“报仇神”原文作“厄里倪斯”（Erinys），这位女神特别报复亲属间的仇杀。

[80] 许罗斯进屋准备舁床，然后由旁门出去迎接他父亲。

[81] 剧中只有这一处提起十二年期限（参看注[9]）。本剧第44行以下一段（自“因为他出门”起）和第164行以下一段（自“他说，他离家”起）都只说起十五个月期限。从第155行以下一段（自“当我的丈夫”起）的语气看来，歌队中的少女并不知道多多涅神示规定的十二年期限，那么她们这时候怎么会知道呢？这分明是诗人笔下的疏误。诗人可能时刻想到十二年期限，那是当日的希腊人大家知道的；但是他没想到歌队要知道这个期限，只有由得阿涅拉告诉她们。

[82] “灾难”指赫剌克勒斯的死，可能还兼指得阿涅拉的死。歌队想起得阿涅拉在第719和720行说的话，猜想得阿涅拉会自杀。

[83] “黑色的”形容矛尖的颜色和那上面的旧血痕。

[84] 意即她丈夫的死和她自己的死都应由她一人负责。

[85] 这女仆吓糊涂了，以致所答非所问。

[86] 伊俄勒的父亲和弟兄全都是被赫剌克勒斯杀死的，因此歌队想象伊俄勒生了一个女儿来作报仇者。

[87] 得阿涅拉这次进屋的时候，已经动了自杀之念。她现在看

见她儿子在准备舁床，知道赫剌克勒斯就要到家了。她怕见丈夫，决定立即自杀。

［88］ 得阿涅拉是在和她周围的一切告别，她首先和祭坛告别。赫剌克勒斯和得阿涅拉死后，他们的儿子们保不住家，这些祭坛便会冷落下来。

［89］ 得阿涅拉正在和她的仆人告别，为他们的命运而悲叹。这些仆人是奴隶，他们是这个家的财产的一部分。等主人和主母死后，这些奴隶将归别人所有。赫剌克勒斯死后，特剌喀斯国王刻宇克斯为欧律斯透斯所阻，不能再继续保护赫剌克勒斯的儿女，他们便逃往雅典（参看注［46］）。他们逃跑时，无法把这些奴隶带走。

［90］ “双刃剑”指得阿涅拉衣服上的金别针，是一种锁针，很锋利，可当小剑使用。

［91］ 歌队听见那些望见舁床回来的仆人在嚷主人回来了。

［92］ 赫剌克勒斯躺在摇篮里的时候就杀死了两条蛇，他并且为忒斯庇俄斯杀死了一匹狮子。荷马诗中说他杀死了一个海怪。此外，他还捉拿了阿耳卡狄亚（Arkadia）地方长着金角和铜脚的鹿、克里特的疯牛、厄律曼托斯（Erymanthos）山上的野猪、色雷斯（Thrake）的吃人的马，杀死了斯廷法利斯（Stymphalis）湖上的猛禽、涅墨亚（Nemea）的狮子、厄律提亚（Erythia）的三身怪物、两头狗、勒耳涅

沼泽的九头蛇，并且猎获了卡吕冬的野猪。

[93] “帕拉斯”（Pallas）是雅典娜（Athena）的别名。雅典娜是从宙斯头里生出来的，她是赫剌克勒斯的姐姐，时常保护赫剌克勒斯。

[94] “宙斯的妻子”指赫拉，她曾经把赫剌克勒斯交到欧律斯透斯手里，并且派两条蛇去杀害躺在摇篮里的赫剌克勒斯，利用风暴把赫剌克勒斯赶到科斯（Kos）岛。

[95] “巨人们”原文作“癸干忒斯”（Gigantes），是由乌剌诺斯（Ouranos）的血滴到地上而化生的，故称为“地生军”。他们住在马其顿，身躯高大，相貌凶恶，还长着蛇尾。他们曾经用石头和树干攻击众神，终于被众神和赫剌克勒斯完全杀死了。他们的尸首被埋在火山下。

[96] “外国人”原文作“没有语言的人”。古希腊人认为所有的外国人说起话来无异于鸟叫。

[97] 涅墨亚是一个峡谷，在阿耳戈斯城北边，相距约17公里。赫剌克勒斯用大棒和箭杀不死这狮子，最后才设法把它闷死。欧律斯透斯要这狮皮，他因此把这死狮子背回提任斯。

[98] “奇形怪状的”原文作“双形的”，意即“半人半马的”。这些马人纵欲嗜酒，只有刻戎是例外。赫剌克勒斯有一次追赶厄律曼托斯山的野猪，到达福罗斯（Pholos）的洞穴，这马人有一坛好酒，赫剌克勒斯把酒打开，别的马人闻见酒香，跑来抢夺，全都被他赶走了。福

罗斯被赫剌克勒斯的落地的箭误伤而死。

［99］ 厄律曼托斯山在阿耳卡狄亚境内。赫剌克勒斯穷追这野猪，终于把它活捉。“人头蛇身的妖怪”原文作“厄喀德涅”（Ekhidne），是一个半女人半神的怪物。冥王的三头犬名叫刻耳柏洛斯（Kerberos），是厄喀德涅和堤丰（Typhon）所生的，但诗人在《俄狄浦斯在科罗诺斯》剧中却说是塔耳塔洛斯（Tartaros）和地神所生的。这三头犬在冥河岸上看守冥界。冥王答应赫剌克勒斯把它牵走，但不得使用武器。赫剌克勒斯把它献给欧律斯透斯看了之后，又把它送回冥土。

［100］ 这地方在西方，一说在西班牙，一说在非洲。宙斯和赫拉在那里结婚时，地上长出了一棵金苹果树，赫拉把这树交给赫斯珀里得斯（Hesperides）姐妹们和一条龙看守。据说这龙是赫剌克勒斯射死的，一说这些苹果是赫剌克勒斯请求阿特拉斯（Atlas）去取来的。赫剌克勒斯把这些苹果交给欧律斯透斯，欧律斯透斯又把原物转赠给他，赫剌克勒斯便把它们献给雅典娜，再由雅典娜送回原处。

［101］ 赫剌克勒斯的外祖父厄勒克特律翁和外祖母阿那克索（Anaxo）都是珀耳修斯的后人，珀耳修斯是宙斯的儿子，所以赫剌克勒斯说他的母亲是“最高贵的”。

［102］ 意即宙斯不尊重阿尔克墨涅，不保护她的儿子。

[103] 阿尔克墨涅的父亲厄勒克特律翁是迈锡尼国王。阿尔克墨涅是许配给她的堂弟兄安菲特律翁的，那人是提任斯国王阿尔开俄斯（Alkaios）的儿子，阿尔开俄斯和厄勒克特律翁是亲兄弟。安菲特律翁后来无意间杀死了他的叔父（亦即岳父）厄勒克特律翁，只好带着未婚妻逃往忒拜。她在那里生赫剌克勒斯（赫剌克勒斯实际上是宙斯的儿子，参看注[4]）。赫剌克勒斯后来回到提任斯为欧律斯透斯服役，他希望借此讨欧律斯透斯喜欢，使安菲特律翁和阿尔克墨涅回到迈锡尼。他做完了许多件苦差使后，便和他的家室很安好地住在迈锡尼，这时候他这名义上的父亲已经死去了。后来因为他在提任斯杀死了伊菲托斯，他才又带着家眷逃到特剌喀斯。他出发赴吕狄亚后，他母亲为了减轻特剌喀斯国王刻宇克斯的负担，便带着一些孙子回提任斯居住。赫剌克勒斯的其余的儿子（除去许罗斯外）却回到忒拜去了。

[104] 参看注[64]。

[105] 塞罗人（Selloi）是一支很古老的氏族，他们居住在多多涅四周，还不知道用床。多多涅的宙斯庙上最早的祭司便是由这氏族的成员担任的。这些祭司被称为托穆洛（Tomouroi），他们解释宙斯发出的神示，后来把职位让给了珀勒阿得斯女祭司（参看注[22]）。

[106] 过去的时间死去了，未来的时间还没有出生，至于现在的时间则是活着的。

［107］ 这顶峰在特剌喀斯西北，相距约13公里，海拔约2150米，叫作火葬峰，由赫剌克勒斯的火葬而得名。

［108］ 据说这种野橄榄树是由赫剌克勒斯移植到希腊的。

［109］ 许罗斯答应伐树砍柴，但不肯亲手架火葬堆，自然也不肯把火葬堆点燃。据说那是由菲罗克忒忒斯（Philoktetes），或由菲罗克忒忒斯的父亲波阿斯（Poias）点燃的。传说这火葬堆一燃烧，天空有云雾下降，迎接赫剌克勒斯上奥林匹斯山。他成神后，同赫拉和解了，还娶了赫拉的女儿赫柏（Hebe）为妻。

［110］ 在传说中伊俄勒是许罗斯的妻子，生了一男一女。她在本剧中却成了赫剌克勒斯的侍妾，而且间接害死了赫剌克勒斯。当日的雅典观众看了本剧前一部分，一定会发现这故事与原来的传说有出入。要解决这问题，只好叫赫剌克勒斯强迫许罗斯娶伊俄勒为妻。这事在当日的观众看来也是不近情理的。

［111］ 许罗斯请天神证明这女人是他父亲强迫他娶的，因此他可告无罪。

［112］ 意思是：“原谅我帮助我父亲毁灭他的身体。”

# 附录　1983年版《索福克勒斯悲剧两种》材料

# 译后记[1]

## 一、索福克勒斯

古希腊悲剧的演出开始于公元前6世纪末叶，一直延续到公元前2世纪中叶。三四百年间，产生了数以百计的悲剧诗人，数以千计的悲剧和萨堤洛斯剧[2]。经过历史长河的淘汰，到现在只剩下33部作品。

索福克勒斯是古希腊三大悲剧诗人中的第二人，生于公元前496年，是雅典西北郊科罗诺斯乡人氏。他的父亲是兵器制造厂的厂主。索福克勒斯少年时即显露音乐才能。萨拉密斯海战胜利后（公元前480年），他领着歌队唱凯旋歌。公元前468年，他的悲剧胜过埃斯库罗斯，首次获奖。公元前440年，他被选为雅典十将军之一。公元前413年，他被选为“十人委员”之一，处理雅典在西西里岛战败后的危机。据说他一共写了123个剧本，得过24次奖，现存七部完整悲剧，即《埃阿斯》（写攻打特洛亚的希腊英雄埃阿斯因争夺阿喀琉斯死后遗留下来的甲胄失败愤而自杀，公元前442年左右演出）、《安提戈涅》（公元前441年左右演出）、《俄狄浦斯王》（公元前431年左右演出）、《厄勒克特拉》（写阿伽门农的女儿厄勒克特拉为报杀父之仇和弟弟一起杀死母亲，公元前419年至公元前415年之间演出）、《特刺喀斯少女》、《菲罗克忒忒斯》（写希腊英雄菲罗克忒忒斯被劝说去攻打特洛亚，公元前409年演出，得头奖）、《俄狄浦斯在科罗诺斯》（诗人死后演出，得头奖）。

初时古希腊戏剧的演出，是由诗人自编剧本，自配音乐，自导，自演。索福克勒斯因为嗓子不够洪亮，不能担任主要演员，只好请别人担任。他一生只演过两次戏，一次是演他的悲剧《塔弥刺斯》中的盲歌者，很成功，因此有人把那个剧景画在雅典画廊上；另一次是演他的悲剧《洗衣少女》中的公主瑙西卡亚，据说打球的姿势优美自然，博得观众称赞。

诗人死于公元前406年。

诗人的中年正逢雅典奴隶主民主制全盛时期。后来雅典集团与斯巴达集团之间爆发战争，从公元前431年断断续续打到公元前404年，以雅典集团的失败告结束。在战争期间，雅典民主制逐渐被削弱，政治、经济出现危机。索福克勒斯属于温和的民主派，他拥护民主制度。他的悲剧《俄狄浦斯王》中的预言者对俄狄浦斯说："你是国王，可是我们双方在发言权方面应当平等。"《安提戈涅》中的海蒙认为"只属于一个人的城邦不算城邦"。《俄狄浦斯在科罗诺斯》中的雅典国王忒修斯说，雅典是"凡事按法律办理的城邦"。这些话都反映了诗人的民主思想。

索福克勒斯对于国王和借民众的力量获得政权的僭主是痛恶的。他曾拒绝马其顿国王和西西里僭主的邀请，他说："谁要是进入君主的宫廷，谁就会成为奴隶，不管去时多么自由。"诗人在剧中攻击暴君，例如《厄勒克特拉》中迫害厄勒克特拉的埃癸斯托斯，《安提戈涅》中迫害安提戈涅的克瑞翁，这些暴君无疑影射当日的僭主。

诗人提倡英雄主义，他在剧中描写英雄人物，歌颂勇敢的行为。他的人物具有和仇敌或命运斗争到底的坚强意志，他们坚决站在正义的立场，临危不惧。

索福克勒斯的宗教观是保守的，他信仰神，维护传统的宗教信仰。《安提戈涅》中的波吕涅刻斯率领外邦军队回国来同他的弟弟争夺王位，两兄弟自相残杀而死。新王克瑞翁禁止人埋葬波吕涅刻斯的尸首。死者的妹妹安提戈涅遵守神的律条，尽了亲人必尽的礼仪，埋葬了哥哥，因此被囚禁在墓室里，最后自杀身死。这剧写氏族社会遗留下来的宗教信仰与城邦社会的法制之间的冲突。诗人同情安提戈涅的遭遇，这就表明他尊重神定的律条甚于城邦颁布的法令。

索福克勒斯最著名的悲剧是《俄狄浦斯王》。忒拜的国王拉伊俄斯预知他的儿子会杀父娶母，因此俄狄浦斯一生下来，他便叫一个牧人把他遗弃。这婴儿被科林斯的国王收为养子。俄狄浦斯成人后，得知他的可怕的命运，便逃往忒拜，在那里做了国王，并娶了前王的妻子。这剧开场时，忒拜发生瘟疫，神说要把杀害前王的凶手找出来，瘟疫才能停止。预言者指出，凶手就是俄狄浦斯本人。俄狄浦斯疑心妻舅克瑞翁收买预言者来陷害他。王后出来劝解，她告诉俄狄浦斯，她的前夫是在一个三岔路口被一群强盗杀死的。俄狄浦斯听了，开始怀疑前王是他自己杀死的，因为他曾在三岔路口独自杀死一个老年人。后来那个牧人承认婴儿时的俄狄浦斯是王后交给他的。于是真相大白。这剧写个人意志与残酷命运之间的冲突。俄狄浦斯正直诚实，热爱人民，敢于面对现实，承担责任，因此遭受命运的摧残。在索福克勒斯看来，命运不是具体的神，而是一种神秘的力量，具有邪恶的性质。诗人所强调的是人的自由意志和反抗命运的刚毅精神。

索福克勒斯使悲剧艺术达到完美的境界。他的特长是善于布局。他放弃埃斯库罗斯首创的三部曲形式（三出悲剧写同一个题材），而写出三出独立的悲剧，使每出剧的情节多样化，矛盾冲突更为集中，结构也更为复杂、严密、完整。他很讲究情节的统一，重视戏剧内部的有机联系。他剧中矛盾的解决都是布局中事先安排好的。亚里士多德认为《俄狄浦斯王》一剧是悲剧中的典范。这剧情节极复杂，但又条理清楚，层次分明，一环扣一环，每一件事都是前一件事的必然结果；剧中任何一景都不能挪动或删削，否则整个结构就会被破坏。

索福克勒斯着重写人，不着重写神。他曾说，他按照人应当是什么样来写，欧里庇得斯则按照人本来是什么样来写。换句话说，他写的是理想中的人物，欧里庇得斯写的则是现实中的人物。索福克勒斯创造出形形色色的人物，这些人物都写得很细致，都具有鲜明的个性。他并且使人物的性格成为剧情发展的动力。他还善于运用对照手法，用一些性格相反的人物烘托出剧中的主人公，使后者的性格更为鲜明。

索福克勒斯首先采用第三个演员，使剧中人物增多，对话占据主要地位。相对来说，歌队没有先前重要了，但是索福克勒斯的歌队仍然不失为戏剧整体中的有机部分。《埃阿斯》中的歌队由埃阿斯的兵士组成，他们非常关心主帅的命运，而且积极参与剧中的活动，就是一例。

索福克勒斯曾说，他起初模仿埃斯库罗斯的夸张风格，后来采用一种矫揉造作的风格，最后才找到适合于表现人物性格的新风格，这种风格质朴、明朗、自然、有力。他的语言能引起联想，有的对话观众理解，但剧中人物一时却不理解，这种手法可以产生强烈的戏剧效果。例如《俄狄浦斯王》剧中的一些词句，使观众联想到俄狄浦斯和他母亲的关系。总的说来，索福克勒斯剧中的对话都很明快、紧凑，安排得十分巧妙。他的许多合唱歌也写得很美，常被人誉为古代抒情诗的典范。

就戏剧艺术的技巧而论，古代批评家一般都认为索福克勒斯是最杰出的希腊悲剧家。罗马演说家西塞罗把索福克勒斯比作荷马。索福克勒斯对后世影响不大，但他的《俄狄浦斯王》一剧却不断有人模仿。法国诗人拉辛认为《俄狄浦斯王》是一出极完美的悲剧。德国批评家莱辛和诗人歌德对索福克勒斯的评价也很高。

## 二、《特剌喀斯少女》

《特剌喀斯少女》这出剧曾经受到各种各样的批评。有人认为这是索福克勒斯少年时的习作，艺术上还不成熟。也有人认为这是诗人晚年时的作品，作者已经神志不清，忘记了他的戏剧艺术。直到近几十年，这剧才被人重新认识，获得了公正的评价。

这剧的写作年代约在公元前 413 年。有人认为迟至公元前 410 年，也有人认为早至公元前 420 年，那时候欧里庇得斯首创的介绍戏剧情节的“开场诗”形式已经固定下来。

这剧是现存的古希腊戏剧中少数命运悲剧之一。赫剌克勒斯的命运是由神预先注定的。这剧虽然写了赫剌克勒斯对伊俄勒的爱情，得阿涅拉对丈夫的爱情，以及得阿涅拉之死，但是这些都不是主题，主题乃是赫剌克勒斯命中注定的死亡。确定这一点，是很重要的，许多问题都可以从这个论点上求得正确的解答。有一些评论家认为赫剌克勒斯出场的戏和前面的戏不是有机整体，这是他们把得阿涅拉当作悲剧的主要人物而得出的结论，这个结论不正确。赫剌克勒斯出场之前的戏都是着重描写赫剌克勒斯的性格，都是为赫剌克勒斯出场做准备。从这一点来说，这出剧的结构还是相当完整的，是精心安排的。

这剧由于是描写家庭生活的，所以歌队只能是得阿涅拉的亲密朋友——一些没有生活阅历的少女。她们不可能参与剧中的活动，不能把前后的剧景连接起来，更不能推动剧情向前发展，只是偶尔发表一些感想，向剧中人物提出一点意见。她们所唱的歌，除第二合唱歌外，往往成为戏剧的抒情点缀，不能产生戏剧的效果。这些都是由于受条件的限制而产生的缺点。歌队即使是由有阅历的妇女组成，她们所能起的作用也大致如此。

许多人认为这剧是在欧里庇得斯的影响下写成的，理由是索福克勒斯采用了欧里庇得斯式的“开场诗”。欧里庇得斯有好几出悲剧都是由神或其他人物首先单独出场向观众介绍剧情，这个手法往往会削弱戏剧的效果，但在当时很受观众欢迎。本剧的“开场诗”采用对话的形式。其实得阿涅拉所说的一些话是女仆早已知道的，如河神向得阿涅拉求婚的事，又如她现在生活在特剌喀斯。诗人无疑是在借这种“开场诗”向观众介绍剧情。但索福克勒斯不同于欧里庇得斯，他同时是在描写得阿涅拉和赫剌克勒斯过去的为人，从而使观众对他们的性格有了初步的印象。

有一些人认为剧中的涂了毒药的袍子是受了欧里庇得斯的悲剧《美狄亚》中类似的情节的启发。这一点难以肯定，因为赫剌克勒斯死于马人涅索斯的毒血是传说中原来有的，他死于穿上这种涂了毒药的袍子也可能是传说中原来有的。

赫剌克勒斯坚决要他的儿子许罗斯娶他自己的侍妾伊俄勒为妻，这一点看来费解，其实这是因为传说中有这段情节：伊俄勒本是许罗斯的妻子，为他生下一男一女。诗人为了附合观众的理解，才这样安排，免得剧中的情节和传统的说法脱节。

这剧最大的成就在于性格描写。得阿涅拉虽然是次要的人物，却是索福克勒斯创造的最富于生活气息的、形象最丰满的妇女形象之一。她是个不幸的女人，自从被河神求婚之日起，一生处于恐惧之中。她又是雅典人的典型的妻子，温柔，顺从，羞怯，有节制，懂得世态人情，能体谅人，对女俘们表示同情，对伊俄勒也没有出一句恶言。但她想到将要和伊俄勒共有一个丈夫，心中又不甘愿。她并没有为此生气，也无意进行报复，只是想挽回丈夫对她的爱情。她做事谨慎，缺乏胆量。若不是歌队长劝她试用媚药，她是不愿贸然采取这个行动的。她做错了事，但她是无辜的，而且勇于自责，最后引咎自杀。她的不幸引起观众的同情和惋惜。她在剧中的作用，是揭示主要人物赫剌克勒斯的形象，并导致他的早已注定的死亡。她的性格反衬出赫剌克勒斯的刚强、凶猛。

对赫剌克勒斯的形象一直有不同的看法。英国著名学者墨雷（G. Murray）认为诗人写这剧的动机在于有意冲淡赫剌克勒斯在雅典人心目中的光辉形象。其实未必如此。

赫剌克勒斯是一个异乎常人的特殊人物。他是洪荒时代为人民除害的英雄。得阿涅拉、许罗斯和歌队长都称赞他为最好的人。他胸怀坦白，并没有叫他的传令官利卡斯隐瞒他对伊俄勒的爱情，还以为他的妻子会接待这个女俘——他的侍妾。雅典法律允许置妾，但一般男人都是私设外室，并不把小老婆接到家里来。那攻下了特洛亚的希腊联军统帅阿伽门农把他的侍妾带回家来，是和赫剌克勒斯犯了同样的错误，致遭杀身之祸。

赫剌克勒斯的缺点也是异乎常人的。他粗暴，任性，野蛮，残忍，野性发作时什么事都干得出来，一点也不顾及天上的律条和人间的法律。他为报复私仇而阴谋杀害了伊菲托斯，他为对伊俄勒的爱情而毁灭了她的城邦俄卡利亚，他不问情由就杀死了运送毒袍的利卡斯。他得知得阿涅拉自杀身死，却无动于衷，毫无原谅之意。这种冷酷无情曾经受到许多现代评论家的非难，被认为不可思议。诗人之所以这样处理，目的在于表现赫剌克勒斯的粗犷的性格。赫剌克勒斯一听说得阿涅拉是自杀的，他的回答是："她应当死在我手里。"许罗斯告诉他："她虽然犯了罪，用心却是好的。"他听了，这样反问道："她杀了你父亲，杀得好吗？"许罗斯解释说："她看见屋里的新娘，便想起了对你使用媚药，可是没有达到目的。"赫剌克勒斯问道："哪一个特剌喀斯巫师有这样的本领？"许罗斯回答说："那马人涅索斯曾经劝她用这样的媚药来激起你的爱情。"赫剌克勒斯听了，大吃一惊，明白了神示的意义，知道了这是上天注定的自己的结局。因为宙斯曾说，赫剌克勒斯不会死在活人的手里，而会死在一个居住在冥间的死者手里。这个死者就是指马人涅索斯。于是赫剌克勒斯把得阿涅拉忘在脑后，而集中考虑自己身后的事。这样的描写是完全合乎赫剌克勒斯的性格的，在他的脑海中，人情、人道是没有位置的。赫剌克勒斯的性格如此，尽管他有种种缺点，但仍不失为一个英雄人物。他终于受到神的照顾，死后升天成神。按照神话所说，赫剌克勒斯的火葬，就是他升天成神。

从上述各节可以看出，这出剧在布局和性格描写方面，都是成功的。此外，剧中的诗也是炉火纯青的艺术品，完全足以代表索福克勒斯的风格。

1982 年 2 月

注　释

[1] 此篇译后记分作三部分，现将前两部分附在与之相关的《特剌喀斯少女》后，另一部分附在《俄狄浦斯在科罗诺斯》后。——编者注

[2] 萨堤洛斯剧在三出悲剧之后继续演出，是一种轻松的趣剧，称为“羊人剧”，亦称为“马人剧”。